Gütersloher Taschenbücher / Siebenstern 572

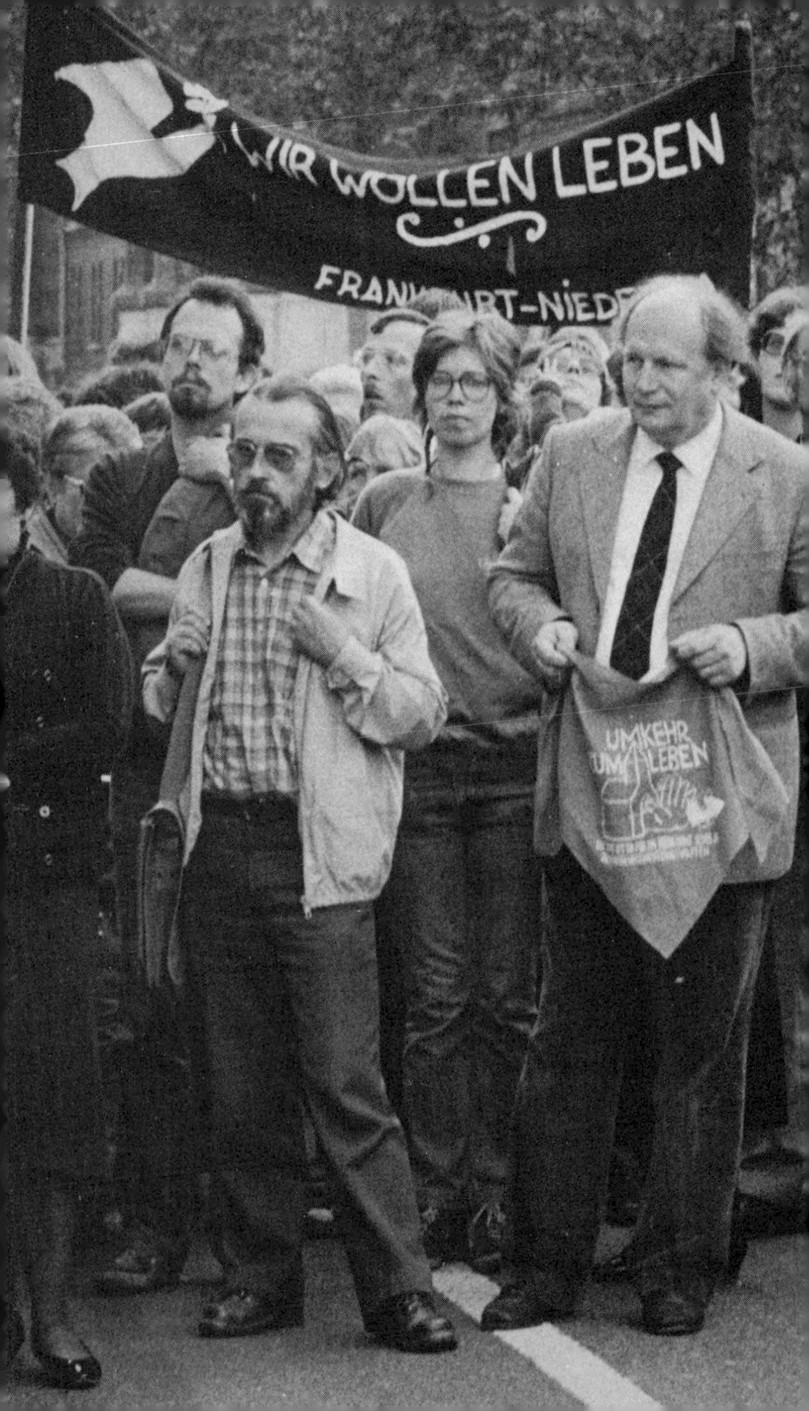
WIR WOLLEN LEBEN
UMKEHR ZUM LEBEN

Gesine Wagner

Im Feuer
ist mein Leben
verbrannt

Der Starfighter-Absturz in Frankfurt
Pfingsten 1983

Briefe – Tagebuchaufzeichnungen –
Dokumente

Herausgegeben von
Peter und Gertrud Wagner

Gütersloher Verlagshaus
Gerd Mohn

Originalausgabe

CIP-Kurztitelaufnahme der Deutschen Bibliothek

Wagner, Gesine:
Im Feuer ist mein Leben verbrannt: d.
Starfighter-Absturz in Frankfurt Pfingsten 1983;
Briefe – Tagebuchaufzeichn. – Dokumente /
Gesine Wagner. Hrsg. von Peter u. Gertrud Wagner. –
Orig.-Ausg. – Gütersloh: Gütersloher
Verlagshaus Mohn, 1985.
   (Gütersloher Taschenbücher Siebenstern; 572)
   ISBN 3-579-00572-3

NE: GT

ISBN 3-579-00572-3

© Gütersloher Verlagshaus Gerd Mohn, Gütersloh 1985
Umschlagentwurf: Dieter Rehder, Aachen,
unter Verwendung von Fotos von Klaus Malorny, Frankfurt am Main,
und Philipp Wagner, Detmold
Gesamtherstellung: Clausen & Bosse, Leck
Printed in Germany

Inhalt

Fotonachweis

S. 2: Dietmar Treber, 6082 Mörfelden. – S. 10 und 11: Horst Winkler, 6231 Sulzbach am Taunus. – S. 12: dpa/Deutsche Presse-Agentur GmbH, 4000 Düsseldorf 1. – S. 15 und 86: Martin Jürges. – S. 17: Hans-Georg Berg, 6000 Frankfurt am Main 1. – S. 19: Text und Foto: Eugen Ecker (Gruppe Habakuk), 6000 Frankfurt am Main 60. – S. 53, 63, 91, 104, 111 und 112: Philipp Wagner, 4930 Detmold. – S. 62: Ladleif, 4930 Detmold. – S. 91: Henrik Strothmann, 4600 Dortmund. – S. 107 und 110: Klaus Malorny, 6000 Frankfurt 71.

Vorwort

»Aber einen Hoffnungsschimmer hatten Gesines Abschiedsworte doch in dieser Dunkelheit zurückgelassen!«

Aus: »Das Märchen von der Möwe Gesine«; Gesines Großvater Hermann Wagner hat im Jahr 1935 seine Erfahrungen aus dem Ersten Weltkrieg in diesem Märchen verarbeitet.

Gesine ist neunzehn Jahre alt gewesen, als sie starb. Was sie vor dem Absturz des Starfighters in Frankfurt, Pfingsten 1983, erlebte, dachte und schrieb, erleben und denken so oder ähnlich viele junge Menschen. Was sie in den 81 Tagen im Krankenhaus erfuhr und ausdrückte, läßt das Alltägliche ihres Lebens in einem neuen Licht erscheinen. Sie hat uns Mut gemacht.

Es kann sein, daß manch einer sich in ihr wiedererkennt. Darum haben wir die Texte dieses Buches zusammengestellt.

Wir danken Gesines Freunden, die uns bei der Textauswahl geholfen, und all denen, die uns zu dieser Dokumentation ermutigt haben.

Detmold, den 22. Mai 1985   *Peter und Gertrud Wagner*

»Es ist genug« –
Der Absturz

Der Absturz

Am Pfingstsonntag, dem 22. Mai 1983, war Tag der Offenen Tür auf der US-Air-Base in Frankfurt am Main. Vierhunderttausend Schaulustige warteten auf den Formationsflug der Starfighter. Um 14.10 Uhr kamen sie: Fünf kanadische CF 104-G, die Staffel »The Tigers« der 439. Fighter Squadron aus Baden-Söllingen donnerten im Langsamflug tief über die Köpfe der Zuschauer hinweg.

Dann geschah das, was der Fotograf Georg Raab so beschrieb: Eine der Maschinen änderte plötzlich ihren Kurs und flog nach Norden in Richtung Frankfurt. Sie verlor an Höhe, bäumte sich noch einmal auf und ging danach in einen Sturzflug über.

In der Nähe des Waldstadions bohrte die Maschine sich in eine Böschung und explodierte. Ein hundert Meter hoher Rauchpilz war über dem Wald zu sehen. Der Pilot, der 27 Jahre alte Hauptmann Alan Stephenson, hatte zuvor den Schleudersitz in Betrieb gesetzt und sich gerettet. Er kam mit dem Schrecken davon.

Um 14 Uhr war der Pfarrer Martin Jürges mit seiner Familie ins

Über der Aufschlagstelle steht ein Rauchpilz

Das Auto, in dem Pfarrer Martin Jürges mit seiner Familie den Tod fand.

Auto gestiegen und in Richtung Mörfelder Landstraße losgefahren, um den Nachmittag im Odenwald zu verbringen. Alle waren in guter Stimmung. Dem Gottesdienst in der Gutleutkirche war ein festliches Mittagessen gefolgt; denn es war Besuch aus Detmold gekommen: die Großmutter Erna Jürges mit ihrer Enkelin Gesine Wagner. Gesine war Patin des jüngsten Kindes der Familie, der 11 Monate alten Katharina. Im Auto hatte sie ihr Patenkind auf dem Schoß. Sie saß hinten auf dem rechten Platz. Neben ihr auf dem Mittelsitz war der 11jährige Jan, links außen die Großmutter. Vorn am Steuer saß Martin und neben ihm seine 38 Jahre alte Frau Irmtraud Jürges-Kiesling.

Gesine hat es später im Krankenhaus erzählt. Die Großmutter habe das Flugzeug kommen sehen. »Es stürzt ja auf uns«, habe sie gerufen. Dann hätten alle geschrien. Das Auto sei getroffen worden, habe sich gedreht, sei in Flammen gestanden. Sie sei mit Katharina durchs Fenster hinausgekommen, habe aber das Kind verloren, das sie noch schreien gehört hätte.

11

Pfarrer Martin Jürges bei seiner Amtseinführung durch den Kirchenvorstand der Gutleutgemeinde im Jahre 1981. Neben ihm sein Sohn Jan und seine Frau Irmtraud, die ebenfalls in den Flammen ihres Autos umkamen.

Martin, Irmtraud, Jan, Katharina und die Großmutter Erna Jürges starben in den Flammen. Gesine wurde als einzige Überlebende nach Offenbach ins Stadtkrankenhaus geflogen. Sie lebte noch 81 Tage. Am 11. August 1983 starb sie. Auf dem Leichenschauschein steht: »Herz- und Kreislaufversagen, Nierenversagen, 85 % Verbrennung III. und IV. Grades der gesamten Körperoberfläche.«

Unter der Überschrift »Ein Mann mit Zivilcourage« schrieb Jutta Stössinger in der Frankfurter Rundschau am 25. Mai 1983 über Martin Jürges: »Die Nachricht von seinem Tod hat sich am Montag im Gutleutviertel schnell herumgesprochen. Alte und junge, deutsche und ausländische Bewohner stehen auf den Straßen und sprechen über den Unglücksfall. Auf ihren Gesichtern stehen Trauer und Erschütterung, viele haben Tränen in den Augen. ›Er machte uns Mut, an unsere Wohngegend zu glauben, er wollte das Bahnhofsviertel wieder lebenswert machen‹, sagt eine ältere Frau.«

»Mut hat Martin Jürges im Lauf seines Lebens vielen gemacht, und Mut hat er selbst unermüdlich gezeigt. Als Frankfurter Stadtjugendpfarrer setzte er sich zehn Jahre lang für die Jugendlichen, für soziale Gerechtigkeit und die offene Diskussion ein. Von vielen ist er dafür geliebt und verehrt worden. Von manchen aus konservativen kirchlichen und politischen Kreisen hat er sich Rügen eingehandelt. Das hat ihn nie daran gehindert, Zivilcourage und Wahrheitsliebe zu beweisen, wo immer es not tat. Und es tat oft not.«

Unter den zahlreichen Nachrufen, die in den Zeitungen erschienen, war eine »in Verehrung und Dankbarkeit« unterschrieben von »deutschen und ausländischen Bewohnern des Gutleutviertels«. Sie schreiben: »Martin Jürges war seinen Mitmenschen ohne Ansehen des Alters, des Standes, der Religion, der Nationalität verbunden. Er gab allen Halt.«

Nach einem Schweigemarsch im Gutleutviertel sagte der Pfarrer Frieder Stichler: »Wir sind empört über die US-Ankündigung, in diesem Jahr noch zwölf solcher Shows abzuhalten, davon vier in der Bundesrepublik!«

Die Mitschüler von Jan Jürges sammelten 1000 Unterschriften gegen militärische Flugdemonstrationen. In dem Begleitbrief schreiben die Schüler der Klasse 5a wörtlich: »Wehrt euch gegen diese mörderischen Flieger, denkt doch mal nach. Wacht auf, es hätte auch euch treffen können.«

Ich kann ja doch nichts machen

Ein Gedanke, der sich breitmacht – nicht nur in meinem Kopf

Ich kann ja doch nichts machen. »Sie machen« –
Sie haben mir alles abgenommen;
sie treffen alle Entscheidungen;
sie tragen alle Verantwortung;
denn dies ist »Sache« der Experten,
der Politiker, der Manager, der Wissenschaftler,
der Unternehmer, der ...
Sie haben mir alles abgenommen,
sie haben mein Leben genommen und es unter sich aufgeteilt:
Sie denken für mich und bauen Atomkraftwerke;
sie denken für mich und rüsten immer weiter;
sie denken für mich und schließen Fabriken;
sie denken für mich und lassen Wohnungen leerstehen;
sie denken für mich und veranstalten Flugschauen;
sie sagen, sie tun es für mich!
Und ich denke, ich kann ja doch nichts machen,
und lasse das alles mit mir geschehen –
ich gebe mich auf, mich, meine Wünsche, meine Ideen,
meine Träume – mein Leben.
Ich gebe mich und dich ganz einfach auf.
Ich habe Angst,
daß ich wirklich eines Tages nichts mehr machen kann!
Ich habe Angst,
daß ich wirklich eines Tages mich und dich aufgeben muß!
Hör mir zu –
Ich werde dich und mich nicht aufgeben!

Ich nehme mein Leben wieder an mich,
ich füge die Teile wieder zusammen und entscheide mit,
trage die Verantwortung:
Leben ist auch meine Sache.
Es sind viele, die die Teile wieder zusammenfügen wollen,
das macht mir Mut und Hoffnung.
Hört uns zu – überhört uns nicht!

Irmtraud Jürges-Kiesling

Gesine mit Katharina und Gudrun Rathke

»Du hast einen weiten Weg vor dir«

Ansprache von Dieter Trautwein bei der Trauerfeier am 30. Mai 1983 in der Frankfurter Katharinenkirche

Im 1. Buch der Könige, Kapitel 19,4–8, lesen wir: »Elia aber ging hin in die Wüste eine Tagereise weit und kam und setzte sich unter einen Wacholder und wünschte sich zu sterben und sprach: Es ist genug, so nimm nun, Herr, meine Seele; ich bin nicht besser als meine Väter. Und er legte sich hin und schlief unter dem Wacholder. Und siehe, ein Engel rührte ihn an und sprach zu ihm: Steh auf und iß! Und er sah sich um, und siehe, zu seinen Häupten lag ein geröstetes Brot und ein Krug mit Wasser. Und als er gegessen und getrunken hatte, legte er sich wieder schlafen. Und der Engel des Herrn kam zum zweitenmal wieder und rührte ihn an und sprach: Steh auf und iß! Denn du hast einen weiten Weg vor dir. Und er stand auf und aß und trank und ging durch die Kraft der Speise vierzig Tage und vierzig Nächte bis zum Berg Gottes, dem Horeb ...«

Viele von uns wissen, welche Bedeutung diese Geschichte vom Propheten Elia im Leben von Martin und Irmtraud Jürges hatte. Viele erinnern sich jetzt erst recht an das Feierabendmahl beim Kirchentag in Nürnberg und die »Gute-Nacht-Kirche«, die die beiden mitgestaltet haben unter eben diesem Wort: »Steh auf und iß, denn du hast einen weiten Weg vor dir!«

Jetzt beklagen wir, daß der Weg so kurz geworden ist, daß die Fahrt am Pfingstsonntag so jäh endete. Jetzt sagen wir: »Es ist genug!« Wir haben genug. Das ist zuviel, als daß wir es tragen könnten. Es ist unerträglich, daß gerade dieser Pfarrer und diese Familie Opfer menschlicher Machtdemonstration wurden. Einer Machtdemonstration, die zeigen soll, wie beschützt wir sind, die aber aufdeckt, wie sehr wir uns zuletzt selber bedrohen. »Es ist genug!« Muß denn nicht endlich allen die Schaulust vergehen, die sich faszinieren läßt von »Heer und Kraft«? Auch der 22. Mai stand im Zeichen der ganz anderen Botschaft: »Es soll nicht durch Heer oder Kraft, sondern durch meinen Geist geschehen, spricht

Frankfurt am Main, Gutleutviertel

der Herr Zebaoth!« (Sacharja 4,6). Wann begreifen wir das? Wann begreifen es die Völker und auch unser Volk?

Aber während wir fragen und anklagen und genug haben von einer Welt, in der sich die gegenseitigen Drohungen täglich nur noch übersteigern, während uns die Unheilsgeschichte zu überwältigen droht, laden uns die Stimmen unserer lieben Verstorbenen doch noch einmal ein in die Geschichte, die Elia und auch ihnen widerfuhr: »Bitte erliegt nicht der Faszination des Todes und der tödlichen Gewalt. Kommt mit uns dahin, wo Ihr das Ja zum Leben – allem zum Trotz – noch einmal neu hört!«

17

Die, von denen wir diesen bitteren Abschied nehmen müssen, kannten mehr als einmal das Gefühl: »Es ist genug!« – »Was kann ich, was können wir noch machen?« Sie haben in langen Jahren der Verantwortung für junge Menschen und mit jungen Menschen in unserer Stadt mitgefragt: Lohnt sich das überhaupt, anzukämpfen gegen die Anbetung der Macht und des Besitzes? Lohnt es sich, die Verheißungen Jesu für die Armen und alle, die Unrecht leiden, noch ernst zu nehmen?

Aber dann lernten sie im Hören auf die biblische Botschaft, umzukehren in die Gottesgeschichte mit Israel, in die Geschichte des Jesus von Nazareth, der die Frustrationen aushielt, der mit den Menschen aß und trank, der sich für Freunde und Feinde selber zum Brot des Lebens machte, der aufstand und den weiten schweren Weg beschritt.

Wir können nicht trauern, ohne zu danken für das Aufstehen und Einstehen, das Martin Jürges und Irmtraud Jürges-Kiesling übten für Menschen in der Nähe und für Menschen weit über den engeren Verantwortungsbereich hinaus. Und aus früheren Gesprächen mit dem Sohn weiß ich von der Mutter Jürges, um die wir hier auch trauern, daß sie ein Mensch war, der in Familie und Gemeinde dem Ruf folgte: »Steh auf und iß!« Sie lebte von der Auferstehung, die schon heute geschieht, und gab weiter von ihrer Hoffnung an Kinder und Enkelkinder und viele andere Menschen.

Wir vergessen nicht, daß das Aufstehen unseres Mitpfarrers Martin Jürges zuweilen nicht jedem von uns behagte, weil es auch etwas von Aufstand und Aufbegehren an sich haben konnte. Aber wer es vorher nicht recht bemerkt hat, dem mußte es spätestens beim Einsatz in der Gutleutgemeinde klarwerden: Hier aßen Pfarrersleute das Brot der Menschenfreundlichkeit Gottes und teilten es und verteilten es möglichst unter viele und alle. Und was da für viele zutage trat, war ansteckende Faszination des Lebens. So sehr, daß von Menschen als von »Engeln« und fröhlichen Gottesboten geredet wird. Warum aber? Darum doch, weil der Engel Gottes, der einst Elia anrührte, auch hier Menschen angerührt und aufgeweckt hat. Weil sie das Ja Gottes hörten, haben sie anderen Mut gemacht zu diesem Ja zum Leben. Und wurde von ihnen ein Nein gesprochen, dann war es als Protest zu verstehen gegen das,

Vor dem Sommer
langer Atem
lauter Träume
Endlichkeit
der Tod ist nah
der Tod ist weit

Alte Sehnsucht
viele Fragen
bange Ahnung
Traurigkeit
der Tod ist nah
der Tod ist weit

Dunkle Stunden
bittre Tränen
schwerer Abschied
Verlorenheit
der Tod ist nah
der Tod ist weit

Große Hoffnung
letztes Wissen
alles Blühen geht dahin
stirbt auf neuen Lebenssinn

Zum Gedenken an Familie Jürges

was Menschen den Mut nimmt. Nicht von ungefähr kommt jetzt heraus, daß doch viele das Ja zu einem pfingstlichen Miteinander der Völker und Rassen, der Kirchen und Religionen auch in dieser Stadt gehört haben. Ein Ja zum Frieden im großen und kleinen ...

Doch wie ist das jetzt mit den Kindern? Schlagen da unsere Gedanken nicht um in Verzweiflung? Bleibt uns mehr als Zorn und Ergrimmen, wie sie Jesus angesichts des Todes seines Freundes Lazarus zeigt? Und wenn wir an Gesine Wagner, die 19jährige, denken, die mit dem Tode ringen muß; am Beginn ihres noch so jungen Lebens ein Opfer von Zerstörung und Schmerzen und Leid ...

Wir haben ein Recht, zu klagen mit den Worten des Psalms, den wir vorhin hörten und den Jesus an seinem Kreuz gebetet und geschrien hat: »Mein Gott, mein Gott, warum hast du mich verlassen ...«

Wir haben Grund, unter das Kreuz Christi zu fliehen und dort mitzuschreien. Schon so lange ist es das Protestzeichen Gottes gegen jeden von Menschengewalt verursachten Tod. Und zugleich ist es das Zeichen, das für das neue Leben aus einem neuen Geist wirbt. Laßt uns unter das Kreuz Christi fliehen, weil Jesus auch in seinem Tod für die Kinder da ist, die Arme ausbreitet und sie liebt, wie wir es nicht mehr können. Stellvertretend für uns nimmt er sie in seine Arme, auch den Jan und die Katharina. Und stellvertretend mahnen sie und flehen sie nun für alle bedrohten Kinder der Erde. Und wir hören sie ihre Stimme erheben: Jan, der so fröhlich war und andere froh machte. Und Katharina, die lange ersehnte, die dann Eltern und Großeltern eine große Freude war. Und dann war auch dieses kleine Kind schon ein Hoffnungszeichen in einem Stadtviertel, das viele deutsche Eltern in der Regel nicht für ihre Kinder wählen möchten. Ja, wir sehen auch im Leben und Leiden der Kinder Zeichen des Lebens, die wir nicht vergessen dürfen. Wir sollten bemerken, daß das schreckliche Geschehen doch noch eine Sprache sprechen kann, die uns wachrüttelt und jedem von uns sagt: »Steh auf! ... Du hast einen weiten Weg vor dir!« ...

1. Hal - te dei - ne Träu - me fest, ler - ne sie zu le - ben.
Ge - gen zu viel Si - cher - heit, ge - gen Aus - weg -
lo - sig - keit: hal - te dei - ne Träu - me fest.

2. Halte deine Freiheit fest, lerne sie zu leben.
   Fürchte dich vor keinem Streit, finde zur Versöhnung Zeit:
   halte deine Freiheit fest.

3. Halte deine Liebe fest, lerne sie zu leben.
   Brich mit ihr die Einsamkeit, übe Menschenfreundlichkeit:
   halte deine Liebe fest.

Text: Eugen Eckert: Melodie: Jürgen Kandziora, auf: »Manchmal finde ich eine Spur«. Lieder von der Suche nach Gott und den Menschen, LP/MC/SU 9970, Studio Union im Lahn-Verlag, Limburg

Die Ansprache von Propst Dieter Trautwein hat sich Gesine zweimal im Krankenhaus vorlesen lassen. »Steh auf und iß! Denn du hast einen weiten Weg vor dir« war für sie fortan »Martins Spruch«. In Augenblicken tiefer Niedergeschlagenheit in den letzten drei Wochen ihres Lebens ließ sie ihn sich vorsprechen.

»Ich weiß, es kann sein, daß ich es nicht schaffe« – Auf der Intensivstation

In der Bundesrepublik gab es 1983 achtundvierzig Betten für Schwerverbrannte. Fünf von diesen Betten stehen in der Verbrennungsstation des Offenbacher Stadtkrankenhauses.

Es ist dies eine Intensivstation, die vom übrigen Krankenhausbetrieb abgeschirmt gehalten wird. Mitarbeiter des Krankenhauses und Besucher betreten die Station durch eine Schleuse. Die Kleidung wird gegen sterile grüne Kittel und Hosen und gegen spezielle Schuhe oder Plastiküberzüge vertauscht. Die Haare werden unter einer Plastikhaube verborgen. Vor das Gesicht wird eine sterile Papiermaske gebunden. Der Kranke sieht von den Menschen, die ihn umgeben, nur die Augen. Wird er behandelt, so berühren ihn Hände, die in Plastikhandschuhen stecken.

Der Verlust der Haut, die verbrannt ist und die – sofern sie nekrotisch ist – abgetragen werden muß, macht solche Vorsicht unbedingt erforderlich. Dem Verbrannten fehlt der Schutz, den die gesunde Haut bietet.

Gesunde Haut schützt den Körper vor Verletzung und dem Eindringen von Fremdkörpern. Sie schirmt Krankheitserreger ab. Sie reguliert die Körpertemperatur. Sie bewahrt vor dem Ausbluten. Sie filtert Strahlungen. Die Haut ist das Organ der direkten und intensivsten Kontaktaufnahme.

Ein Mensch mit Verbrennungen erleidet nicht nur Schmerzen, sein Leben ist nicht allein in hohem Maß gefährdet. Er leidet unter der Abtrennung von seinen Mitmenschen. Er kann von ihnen nicht gestreichelt, nicht geküßt, nicht umarmt, nicht gewärmt, nicht gekühlt werden.

Als wir in der Nacht des Pfingstsonntags im Offenbacher Stadtkrankenhaus eingetroffen waren und im Leitungszimmer der Verbrennungsstation mit dem diensttuenden Arzt sprachen, sahen wir an der Wand eine grafische Darstellung. Auf ihr war abzulesen, welche Überlebenschancen Verbrannte auf Grund ihres Alters und nach dem Grad ihrer Verletzung hätten. Der Arzt ließ keine unbegründete Hoffnung zu. Der Tod könne noch in dieser Nacht eintreten oder auch genauso plötzlich in einem Monat. Es sei nicht auszuschließen, daß auch die Lunge durch das Einatmen der heißen Gase beschädigt sei. Selbst wenn die kritische Phase überstanden sei, könne irgendeine, sonst an sich banale Infektion schnell zum Tode führen.

Wir wurden in Gesines Zimmer geführt, einen weißgekachelten Raum, in den sterile, auf 34 Grad erwärmte Luft hineingeblasen wird. Rings um das Bett war ein Plastikvorhang gezogen, der Temperatur, Feuchtigkeit und Sauerstoffgehalt der Luft über dem Bett konstant hielt.

Gesine war in Verbände gewickelt, an Händen und Füßen mit Mullbinden am Bett festgebunden. Sie lag unter einem grünen Tuch. Ihr Gesicht war gelb-grau, stramm aufgedunsen, die Augen zugeschwollen und fest geschlossen, die Nase eine kleine Spitze in ihrem Gesicht. Sie wurde durch einen Schlauch (Tubus), der durch den Mund in die Luftröhre eingeführt war, beatmet.

Wir sprachen sie mit ihrem Namen an, und sie nickte. »Du hast es schwer, Gesine?« Sie schüttelte verneinend den Kopf.

Am anderen Morgen durften wir wieder zu ihr. Sie hatte sich vom Tubus befreit und überraschte uns – immer noch bei geschlossenen Augen – mit der Frage: »*Wo sind die anderen?*« Später: »*Wo ist Katharina, ich habe sie noch schreien gehört.*« »*Wenn sie tot sind – du mußt es mir sagen, ich halte das aus.*«

An den folgenden Tagen sprach sie immer wieder über die fünf Toten und ihr Sterben: »*Daß Oma tot ist, ist nicht so schwer. Sie hatte ein schönes langes Leben. Aber Katharina und Jan – das war zu kurz.*« – »*Als ich an der Straße stand und Katharina schreien hörte, wollte ich lieber sterben. Jetzt bin ich froh, daß ich noch lebe*« (24. Mai).

Sie fragte nach der Todesanzeige der Großmutter und nennt den Bibelvers: »Leben wir, so leben wir dem Herrn; sterben wir, so sterben wir dem Herrn.« Und wir ergänzen ihn: »Darum, wir leben oder sterben, so sind wir des Herrn« (Römerbrief 14,8).

»Christi Eigentum« aus der ersten Frage des Heidelberger Katechismus ist in den ersten Tagen das Schlüsselwort gewesen: »Was ist dein einziger Trost im Leben und im Sterben? Daß ich mit Leib und Seele im Leben und im Sterben nicht mir, sondern meinem getreuen Heiland Jesus Christus gehöre« (25. Mai und an den folgenden Tagen).

Einmal sagte sie im Verlauf eines Gesprächs: »*Ich weiß nicht, was ich beten soll. Ich habe es vorher nicht selber gemacht, und ich komme mir komisch vor!*« (4. Juni).

Einige Tage lang wünschte sie sich, etwas aus der Bibel zu hören. Bald hatte sie Schwierigkeiten, auch ganz kurze Texte aufzunehmen. Wir hörten damit auf. Ähnlich ging es ihr mit der Musik. Anfangs machte sie beim Zuhören mit den geschienten und dick umwickelten Händen die Bewegung des Geigespielens, oder sie versuchte mitzusingen. Dann kam es dahin, daß sie Musik kaum mehr ertragen konnte. Wir schalteten den Kassettenrekorder schnell aus.

Wichtig war ihr, zu erfahren, was wir empfinden und empfunden haben. »*Habt ihr im Auto geweint, als euch Herr G. gebracht hat?*« (27. Mai). – »*Was würdet ihr machen, wenn ich tot wäre?*« (25. Mai).

Andererseits konnte sie die Schwere ihrer Verletzungen nicht richtig einschätzen. Sie überlegte, ob sie bei der Abiturfeier in vierzehn Tagen dabeisein könne, beantwortete sich aber die Frage selbst mit Nein. »*Eine Kassettenaufnahme davon, die hätte ich gern*« (26. Mai). Ein paar Tage später hat sie einen Gruß an die Abiturversammlung diktiert.

Am Abend desselben Tages, des 26. Mai, sagte sie plötzlich: »*Mama, ich kann deinen Kopf sehen!*« Sie hatte für einen Moment die Augen geöffnet.

Am 27. Mai – die Schwellung war zurückgegangen – war die erste Hautverpflanzung im Gesicht möglich. Gesine hatte als Entnahmestelle nur einen schmalen Streifen gesunder Haut am Bauch. Das war das einzige Fleckchen, das auch später nachgewachsene Haut hergeben konnte. Haut von Spendern würde der Körper nicht annehmen, so erfuhren wir.

Es trafen auf der Station viele Briefe, Grüße und auch Blumen (die nicht hereindurften) ein. Gesine hat sich über alles gefreut, und sie hat sich gewundert, daß so viele so intensiv an sie dachten. Sie diktierte:

1. Juni 1983
»Liebe Lehrerinnen und Lehrer!
Ganz herzlichen Dank für Ihre Gedanken und Sorgen um mich! Sie können sich gar nicht vorstellen, was Ihre Gedanken für meinen Lebensmut bedeuten.
Ihre Gesine«

Ein Brief an eine Lehrerin gibt Auskunft über die Situation in den ersten Tagen nach dem Absturz:

Offenbach, den 26. Mai 1983
Liebe Frau Klaus!
Mein Mann hat mir eben am Telefon Ihren Brief an Gesine vorgelesen. Ich kann ihn Gesine nicht weitergeben, sie wird morgen operiert – fast ohne Chancen. 84% der Haut sind verbrannt, größtenteils 3. Grades, und das tote Gewebe muß wegen höchster Infektionsgefahr entfernt werden. Für Transplantationen hat sie zuwenig eigene gesunde Haut ... Ich bin heute nur wenig bei ihr gewesen, weil sie dringend schlafen sollte. Sprechen strengt sie sehr an. Aber das, was sie in den letzten Tagen geäußert hat, enthält so viel an Liebe, Sensibilität, Trost für uns und Nachdenken über Freunde, daß es mich in aller Verzweiflung tröstet. *»Wenn ich gesund werde, will ich vielen Menschen helfen, nur noch helfen.«* – *»Onkel Martin, der war einer, der das konnte.«* – *»Oma hat ein schönes Leben gehabt, aber Katharina ist noch so jung, ich hätte sie retten müssen.«* Nun sollen wir wahrscheinlich dieses Kind hergeben.
Wir sind für alles Mitdenken, Mitbeten sehr dankbar, und deswegen möchte ich Ihnen auch für Ihren Brief danken. Vor mir stehen die Rosen des Musikleistungskurses, die Gesine nie sehen wird. Kinder sind kein Besitz, und die Zeit, die man miteinander hat, ist sehr, sehr kostbar. Ich glaube, das wird mich aus dieser schlimmen Zeit hinaus als Erfahrung begleiten.
Ihre Gertrud Wagner

Nach der ersten Phase, die etwa bis zum 31. Mai dauerte und in der sie immer wieder über die fünf Toten der Familie und das Sterben sprechen wollte, folgte eine zweite Phase, die bis in die vorletzte Woche des Juli hineinreichte.

In diesen Wochen kreisten ihre Gedanken und Anstrengungen um die Wiedergewinnung der Lebensfähigkeit. Sie dachte viel darüber nach, wie und vor allem mit wem und wofür sie später würde weiterleben können. Sie ging gegen die Schwäche und die Schmerzen an. Sie übte das Gehen. Sie trainierte die Beweglichkeit der Arme, des Halses, des Mundes und der Augenlider. Sie hatte nach den ersten Transplantationen Mühe, die Augen ganz zu schließen. Beim Trinken lief die Flüssigkeit wieder aus dem Mund, wenn wir nicht aufpaßten. Die Bissen, die wir ihr beim Füttern gaben, mußten klein und vor allem flach sein. Sie konnte den Mund weder genügend öffnen – er war durch die erste Operation kleiner geworden –, noch konnte sie die Lippen fest aufeinanderlegen. Das nachgewachsene Gewebe war hart und eng. Oft genug riß es bei den Übungen auf, so daß unter den Achseln oder von den Beinen Blut herunterlief. Dennoch drängte sie, aufstehen und gehen oder am Nachmittag auf dem Krankenstuhl unter ihrem grünen Tuch sitzen zu können.

Sie dachte sich mit den Schwestern neue Übungen aus. Zum Beispiel wurde die Trittstufe aus dem Wannenraum geholt, um das Auf- und Niedersteigen zu trainieren. Oder sie begrüßte eine indonesische Schwester mit Verbeugung nach der Art ihres Landes und machte daraus eine Variante der Dehnungsübung.

Wir Eltern waren jeden Tag – mit Ausnahme der sieben Operationstage – abwechselnd bei ihr. Wir fütterten sie mittags und abends.

Eine langwierige Prozedur war das Wechseln der Verbände. Das geschah zweimal am Tag, am Vormittag und nach dem Abendbrot, und dauerte jedesmal drei Stunden.

Gesine wartete unruhig auf uns und wurde zornig, wenn wir mittags einmal nicht rechtzeitig auf der Station eintrafen, und es gab Abende, an denen sie uns mit bittenden, flehenden Worten festzuhalten versuchte.

Um den Schwestern eine Vorstellung von ihr zu vermitteln, pickten wir ein Bild an die Tafel des Stationszimmers. Auf dem Bild war sie zusammen mit Katharina und ihrer Mit-Patentante Gudrun zu sehen. Die erste Schwester, die hereinkam und das Bild an der Wand sah, reagierte erschrocken: Welche ist denn Gesine?

Wir waren wie die Mitarbeiter den Hygienevorschriften unterworfen, die die Patienten der Station vor Infektionen bewahren sollten. Die Verantwortung, die mühsame Pflege, das Sichkümmern um oft genug unrettbar Verletzte, die Hitze und hohe Luftfeuchtigkeit lastete auf den Schwestern und Pflegern. Sie und der für die Station zuständige Oberarzt waren in der Anspannung und Konzentration auf die Behandlung in der Länge der Zeit irritiert durch unsere Anwesenheit bei Gesine. »Verbrennung ist doch keine psychosomatische Krankheit«, sagte Doktor A., »sprechen können Sie später mit Ihrer Tochter.«

Aber eine derartige Trennung von innen und außen, von psychischem und somatischem Befinden war eine Fiktion. Die Isolation war selbst Teil und Ausdruck der Krankheit. Kommunikation bedeutete Leben.

Gesine registrierte dankbar jedes Eingehen auf ihre Gedanken. *»Kommt K. heute abend (zum Nachtdienst) wieder? Mit ihr kann ich so gut sprechen«* (26. Mai). Oder sie wurde auch zornig: *»Bescheuert! Sie sollen nicht so laut reden, dann hören sie mich gar nicht, wenn ich was sage«* (31. Mai).

In der zweiten Phase nahm die Gefahr zu, die von dem abgestorbenen (nekrotischen) Gewebe ausging. Die Selbstvergiftung des Körpers verursachte Alpträume am Tag und in der Nacht. Es erleichterte sie, jemand im Zimmer zu haben, der ihr in die Gegenwart zurückzukehren half. Wir durften nicht den Versuch machen, auf ihre Traumebene überzugehen, in der Absicht, ihr den ständigen Wechsel zwischen Traum und Wirklichkeit zu ersparen. Das wollte sie nicht dulden.

An den Tagen, an denen sie heftig und häufig träumte, wurde sie erst dann entspannter und schlief erst dann ruhiger, wenn wir bei ihr saßen.

Einige Träume bat sie aufzuschreiben:

»Ich schwamm im Wasser und wollte ein ertrinkendes Kind retten. Aber immer, wenn ich es fassen wollte, waren meine Hände nur Klumpen« (7. Juni).

»Ich kam in unserem alten Haus ins Wohnzimmer. Ihr saßt alle beim Fernsehen; keiner bemerkte mich. Da fing es an zu klicken wie beim Tropfinfusionsgerät, und alle Sicherungen brannten durch. Ich flog bis an die Decke, bekam überhaupt keine Luft mehr. Nach einer Weile fiel ich herunter und rannte nach oben zum Duschen, danach war alles wieder gut« (7. Juni).

»Ich habe ganz eigenartige Gegenstände in den Händen. Sie sind furchtbar schwer, ich kann sie nicht loslassen, sie kleben fest, ich kann sie einfach nicht fallen lassen« (13. Juni).

Sie zählt leise für sich: »Zehn Liter, zwanzig Liter, dreißig Liter.« – »Meine Hände bluten so schrecklich, schnell, schnell, Kompressen!« (13. Juni).

»Ein schöner Traum, den ich gern öfter geträumt hätte: Ich bin bei Eri und bade. Es ist wunderbar, als ich aus der Wanne steige, bin ich ganz voll neuer Haut, so richtig rosig frisch, wie bei einem Baby.«

Die kleinen Kinder aus unserer Nachbarschaft tauchten zeitweise in ihren Tagträumen auf. Sie meinte, z. B. Harri und Tanja neben ihrem Krankenstuhl stehen zu sehen, und bat sie, auf die Schläuche achtzugeben. Sie dachte sich Spiele für sie aus. Einmal sagte sie: »*Bianca und ihre Mutter stehen vor dem Haus. Du mußt an die Tür gehen*« (8. Juli).

Was sie durch den Unfall erfahren hatte, wurde für sie zu einer Vorahnung dessen, was bei einer möglichen Atomkatastrophe auf uns zukommen könnte: Feuer, Tod, schreckliche Verbrennungen. Das erfüllte sie mit Angst, Angst um sich und ihre Freunde:

»In der letzten Nacht habe ich meine Flucht in einen Atombunker nach einer Atomkatastrophe geträumt ... Ich habe angefangen zu beten, daß dies nie Wirklichkeit werde ... Ich habe wirklich Angst um meine Familie und Euch. Bitte nehmt mich ernst in meiner Angst« (Brief vom 3.Juli 1983).

Offenbach, 7. Juni 1983

Liebe Frau Klaus!

Gestern habe ich Gesine Ihren Brief vorgelesen, über den sie sich so gefreut hat, daß ich ihn mehrmals lesen mußte. Obwohl ihr Gesicht verbunden und die offenen Stellen blutig sind, sah ich doch, wie sie strahlte. Die Idee eines Besuchs fand sie wunderbar, obwohl im Augenblick noch gar nicht daran zu denken ist, aber schon die Aussicht darauf stärkt sie. Es geht immer noch sehr schlecht, trotzdem haben wir ein bißchen mehr Hoffnung, weil sie – natürlich neben vielen Tiefpunkten – energisch mit sich ist. Sie geht einmal am Tag unter äußerster Anstrengung ein Stückchen auf dem Flur am Arm der Schwestern, sie übt, die Lippen für Vokale zu formen oder einen Ton zu singen.

Das schlimme Problem ist, daß das gesamte verbrannte und damit tote Gewebe sich langsam löst und keine Haut zum Transplantieren da ist. Da stoßen wohl auch die Ärzte an ihre Grenzen und haben bei allen offenen Wunden große Angst vor Infektionen. Wir dürfen nachmittags und abends zu ihr. Jetzt übers Wochenende werde ich allein hierbleiben, weil mein Mann einmal zu Hause predigen möchte, dann kommt er zurück. Wir denken im Augenblick eigentlich immer nur von Tag zu Tag oder von Woche zu Woche, mehr geht einfach nicht.

Ich bin glücklich, daß mein Unterricht in der Schule so selbstverständlich von Kollegen übernommen worden ist, soviel Hilfsbereitschaft tut gut. Uns geht es mit den Gesprächen an Gesines Bett ähnlich, wie Sie es auch empfinden: Sie sind uns ein Trost. Es ist eine solche Nähe und Wärme da, eine solche Konzentration auf Wesentliches, sie entwickelt so viele Perspektiven für den eigenen Einsatz für eine menschlichere Zukunft, daß wir nur staunen können.

Als Gesines »Sekretärin« – aber auch im eigenen Namen –

31

ganz herzliche Grüße an die beiden »Uralt-Lehrer« und
Dank für alles Mitdenken und Mitleiden,
Ihre Gertrud Wagner

28. Juni 1983
Liebe Frau Klaus!
... Gesine ist immer so glücklich über Post von Ihnen! Es
stellen sich bei ihr jetzt viele psychische Tiefs ein mit ban-
gen Fragen nach einem Weg in die Zukunft, verbunden mit
Angst vor dem entstellten Gesicht, vor den verstümmelten
Händen und einem Leben vielleicht als Außenseiter. Dazu
kam gestern noch die Nachricht von dem erneuten Star-
fighterabsturz, die in ihr Wut und Verzweiflung hervorrief.
Der Weg wird für sie lang und schwer werden, und es ist
auch für mich eine Hilfe, daß Sie Gesine so liebevoll und
behutsam unterstützen. Ich wünsche Ihnen ganz schöne,
erholsame Tage in Zermatt,
Ihre Gertrud Wagner

Der Blickkontakt war ihr sehr wichtig. Beim Verabschieden am
Abend sagte sie manchmal, man solle sich noch einmal dicht vor
den Krankenstuhl hocken. Dann kniff sie die Augen zu, um danach für einen Moment besser sehen zu können. Mit prüfendem
Blick sah sie einem in die Augen.
Wenn sie in dem Brief an ihren Freund Achim am 25. Mai schrei-
ben ließ, er könne sie nicht besuchen, weil sie nicht sehen könne,
dann war das keine mißglückte Logik, sondern drückte aus, was
Besuch für sie bedeutete. Denn sprechen durch das Telefon
konnte sie. Wir hielten den Hörer in sicherem Abstand an ihren
mit Binden umwickelten Kopf, und so hörte und sprach sie einige
Sätze.
In den letzten zwanzig Tagen kam es doch noch zu den ersehnten
Besuchen. Achim und die Geschwister Susanne und Philipp durften in ihr Krankenzimmer.
Vom 26. Juli an nahmen die Kräfte spürbar ab. Sie schlief viel am
Tag. Tiefe Niedergeschlagenheit überfiel sie. Der Körper schüt-
telte sich vor Kummer und im Schmerz.

Eine Hoffnung nach der anderen hatte sie in den vorangehenden Wochen aufgeben müssen. Erst dachte sie noch, sie könne vielleicht auch ohne Fingernägel wieder die Geige oder doch wenigstens Klavier spielen. Dann wurde ihr nach und nach deutlich gemacht, daß von ihren Fingern nichts zu retten sei. Sie waren verkohlt und schließlich so trocken geworden, daß man sie noch nicht einmal mehr zu amputieren brauchte.

In den Tagträumen war ihr die Geige zum Symbol ihrer Zukunft geworden. Im Juni hatte sie geträumt – und sie hatte das mit Erregung in der Stimme erzählt –, es sei jemand zu Hause in ihrem Zimmer und wolle ihre Geige zerstören.

Am 11. Juli sagte sie unvermittelt, als gerade eine Schwester das Infusionsgerät versorgte: »*Meine Geige ist zerbrochen.*«

Gesine benutzte einen Handspiegel, den wir ihr vorhielten, damit sie die Bewegungen des Mundes kontrollieren und trainieren konnte. Recht bange hatten wir ihr den Spiegel das erste Mal hingehalten, weil wir nicht wußten, wie sie reagieren würde, wenn sie ihr Gesicht sehen würde. Aber sie zeigte keine Reaktion. Vielleicht nahm sie das Gesehene nicht in sich auf. Wir wissen es nicht.

Sie lebte aus unseren Reaktionen, aus den Worten und Urteilen der Schwestern und Ärzte. Als die Heilgymnastikerin ihr sagte, das Gesicht sei sehr gut transplantiert worden, leuchteten ihre Augen auf. Das war am 22. Juni.

Jetzt, Ende Juli, war das anders geworden. Das Ausmaß der Verletzungen, die Trostlosigkeit ihrer Lage waren ihr bewußt geworden. Sie begann, darüber zu sprechen: »*Ich bin ja so entstellt*« (26. Juli).

Sie war zuletzt so schwach, daß sie diese Einsicht nicht mehr ertragen und verarbeiten konnte.

Der letzte Tag: Nach der siebten, der letzten Operation mußte Gesine reanimiert werden. Sie wurde beatmet. Den Tubus im Mund, lag sie da mit fragendem Blick. Sie hat kein Wort mehr gesprochen.

»Es tut mir gut,
daß Ihr an mich denkt« –
Tausend Grüße und Blicke

Gesine diktierte im Krankenzimmer der Verbrennungsstation Briefe. Anfangs sprach sie mit so schwacher Stimme, daß wir mit dem Ohr nahe an ihren Mund herangehen mußten. Später wurde die Stimme lauter, aber sie blieb rauh und kehlig.

Gesine formulierte mühelos. Nach Worten mußte sie nicht suchen. Nach einigen Sätzen ließ sie sich das Geschriebene vorlesen, um sich zu orientieren. Es schien so, daß sie sich zuvor – am Vormittag oder in der Nacht – überlegt hatte, wem und was sie schreiben wollte. Ihre letzten beiden Briefe unterschieden sich in der Weise ihrer Entstehung von den vorangegangenen. Sie hat sie spontan als postwendende Antwort diktiert (23. und 28. Juli).

Sie bekam zeitweise mehr Post, als sie auf einmal aufnehmen konnte. Sie ließ sich die Absender nennen und wählte den Brief aus, den sie hören wollte. Manche Briefe hat sie sich mehrmals vorlesen lassen.

Mittwoch, 25. Mai 1983
Mein lieber Achim!
Ich freue mich, daß Du die Verhandlung geschafft hast. Mir geht es gut bis auf die Schmerzen, die ich in den Händen und am Fuß habe. Leider kann ich nicht sehen, so daß Du mich nicht besuchen kannst. Du kannst es ja später tun. Es tut mir gut, daß Du an mich denkst.
Ich leide darunter, daß ich die kleine Katharina so lange schreien gehört habe und ihr nicht helfen konnte. Es ging alles so schnell. Es ist ein Wunder, daß ich noch lebe.
Alles Gute, Gesine

31. Mai 1983
Lieber Achim,
die Haut in meinem Gesicht ist transplantiert. Es bleiben aber viele Flecken am Körper, die noch bearbeitet werden müssen. Das dauert viele Wochen. Ich freue mich, wenn Du an mich schreibst. Daran merke ich, daß Du an mich denkst. Ich denke auch viel an Dich.
Ich bin sehr einsam hier, weil hier viele Personen ein und aus gehen, und keiner lange Zeit dableibt, mit dem ich re-

den könnte. Meine Eltern kümmern sich um mich. Einer wohnt immer in Offenbach und besucht mich täglich. Ich unterhalte mich gerade mit meinem Vater darüber, wie wir nach diesem Unfall weiterleben sollen.

Es wäre schön, wenn Du auch einmal kommen könntest, dann könnten wir uns lange darüber unterhalten. Es ist schade, daß ich Dir nicht schreiben kann, aber es geht ja auch so.

Ich denke oft über die Situation nach, die sich ergeben hätte, wenn ich Dich nach Deiner Verhandlung auf dem Flur erwartet hätte. Ich wünsche Dir, daß Du eine schöne Arbeit in einem Krankenhaus bekommst, und ich sage Dir, daß Du allen Patienten zuhören mußt, denn ihre Gedanken sind ebenso wichtig wie ihre Körper.

Ich grüße Dich, lieber Achim, Deine Gesine

2. Juni 1983

An meine Freunde

Ich danke Euch, daß Ihr an mich gedacht habt. Ich habe mich über Eure Briefe und Eure Anrufe, die mir meine Eltern weitergegeben haben, gefreut. Ich weiß, es kann sein, daß ich es vielleicht nicht schaffe. Darum brauche ich Euch, daß Ihr mir Mut macht.

Eure Gesine

5. Juni 1983

Lieber Achim!

Ich weiß auch nicht, wieso ich das Bedürfnis habe, an Dich zu schreiben, weil ich glaube, daß Du ohne meine Briefe ganz unbeschwert leben kannst. Aber es ist in der Zwischenzeit soviel Lebenswichtiges und Lebensvernichtendes überhaupt zwischen uns passiert, daß ich, ohne das wenigstens zu schreiben, den Überblick verliere. Ich kann jetzt nicht über das, was ich erlebt habe, schreiben, weil ich schon mit so vielen Menschen und mit mir selbst in der Nacht darüber gesprochen habe. Ich möchte das gern mit Dir in aller Ruhe besprechen. Ich brauche Deine Hilfe, weil

Du ein Mensch bist, der sich wundert, daß ich überhaupt noch am Leben bin, und der mir hilft, ein Leben nach diesem Fast-Tod wiederzufinden.

Es ist ein komisches Gefühl, hier so abgeschnitten von der Welt zu liegen, gerührt und so froh zu sein über die vielen Briefe, Grüße, die man erhält und hinterher ein neues Leben mit diesen Menschen weiterzuleben.

So ein Brief ist anstrengend, ich möchte jetzt schlafen.

Alles Gute, Gesine

5. Juni 1983

Liebe Christine,

meine Mutter hat mir erzählt, daß Du bei ihr warst, und ich habe auch Deinen Brief bekommen. Es hat mich sehr beruhigt, daß wir die Beweglichkeit aller Finger wieder in Ordnung bringen. Ich vertraue da auf Dich. Allerdings sind meine Hände und meine Arme das am stärksten Verbrannte. Es wird sehr schwierig sein, sie zu transplantieren, weil ich am ganzen Körper nur sehr wenig gesunde Haut übrigbehalten habe. Es kommt darauf an, viele Übungen zu machen. Beim Verbinden meiner Hände mache ich jetzt immer die Augen zu, weil sie so schrecklich grünblau und schwarz und blutig aussehen.

Ich freue mich schon darauf, wieder bei Dir in der Küche an dem roten Tisch zu sitzen und sich etwas zu unterhalten. Laß mal wieder etwas von Dir hören und denk manchmal an mich, damit ich mich nicht so einsam fühle.

Tschüs, liebe Christine, Deine Gesine

7. Juni 1983

Liebe Elisabeth Schr.!

Ihr Brief hat mir sehr viel Mut gemacht. Nach dem Wort von der »besten Klavierschülerin« mußte ich weinen, weil mir einige Minuten vorher der Oberarzt hier zugegeben hat, daß die ersten Glieder aller 10 Finger so völlig verkohlt sind, daß man sie nur noch amputieren kann. Ich weiß natürlich nicht, ob ich jemals wieder Klavier spielen kann, aber ich mache mir Hoffnungen und hoffe auch auf Sie, daß Sie mir dabei helfen werden. Jetzt bin ich völlig niedergeschlagen und weiß noch nicht, wie ich das alles, was noch vor mir liegt, bewältigen soll.

Ich habe gemerkt, daß mir Ihr Brief Mut gemacht hat, und möchte Ihnen noch sagen, daß ich immer sehr, sehr gern zum Klavierunterricht gekommen bin. Bitte vergessen Sie mich nicht und helfen Sie mir hier weiter, indem Sie mir ab und an schreiben und etwas von sich hören lassen.

Vielen Dank für alles, Ihre Gesine

9. Juni 1983

Liebe Susanne, lieber Philipp,

Eure Briefe sind so wichtig für mich, das hilft mir so, weil ich weiß, daß Ihr an mich denkt. Trotzdem liege ich nachts in meinem Bett und hab' einfach nichts, woran ich denken könnte. Wenn ich an Euch denke und an unser Haus und an Robby, dann freue ich mich immer schon so, wieder bei Euch zu sein. Aber dann spüre ich wieder den Juckreiz auf dem Rücken und die Sauerstoffsonde über dem Kopf, die Hitze im Zimmer und rieche meinen kranken Schweiß, und dann weiß ich einfach nicht, was ich noch machen soll. Ich weiß, daß ich es schaffe, gesund zu werden, weil ich jeden Schmerz, jedes neue Verbandauflegen, jedes schmerzhafte Aufstehen aus dem Bett schaffe. Aber ich hab' einfach Angst vor der Zeit.

Es ist für mich wichtig, viel von anderen zu hören, darum schreibt mir, wenn Ihr vom Kirchentag zurück seid, ganz viel über alles, was Ihr erlebt habt und was Euch wichtig war.

Ich hab' Euch so gerne. Ich warte schon auf die Zeit, wo ich so stark bin, daß Ihr mich besuchen könnt.

Alles Liebe, Gesine

9. Juni 1983

Lieber Achim,

Du hast mir so viel Sicherheit gegeben in Deinem Brief, für jetzt, wo ich so vollkommen hilflos – und eigentlich nur noch Körper – in einem überhitzten Zimmer mal sitze, mal liege, mal verbunden werde und Schmerzen habe, mal schlafe, mal weine – und für später, wo ich mit vernarbtem Gesicht und zu kurzen Fingern verzweifelt wieder anfange, Geige zu üben und ein neues Leben zu führen. Ich weiß, daß ich mich dann in Dich hineinfallen lassen kann. Ich würde so gerne mehr reden, mehr schreiben können, aber ich bin so schwach, daß ich meistens nur meinen Kummer hinausbringe. Meine größte Angst hier ist, zu irgendeinem Zeitpunkt alleingelassen zu sein und keine Hilfe zu haben, wenn ich vielleicht gerade keine Luft bekomme oder aufs Klo muß oder einfach mal mit jemandem sprechen muß. Du kannst Dir nicht vorstellen, daß ich überhaupt kein Zeitgefühl mehr habe. Im Schmerz vergißt man sie einfach. (Gesine bittet, da sie sich zu schwach zum Formulieren fühlt, A. etwas von ihren verkohlten Fingerspitzen, von den unbeweglichen Fingergelenken, von den verbrannten Schultern und der Gesichtstransplantation zu schreiben, nach der sie, damit die Haut auf den Augenlidern anwachsen konnte, drei Tage mit verbundenen Augen liegen mußte.)

Lieber Achim, ich weiß erst seit kurzem, daß ich in den ersten Tagen auch hätte sterben können, und mir laufen dann die Tränen, wenn ich an Euch denke, wie Ihr Euch gefürchtet haben müßt und wie ich sorglos in meinem Bett gelegen habe und von allem nichts gewußt habe.

Ich lebe auf den Tag hin, wo Du mich besuchen kommen kannst.

Bis dann alles Gute, Gesine

16. Juni 1983: Rundbrief an die Freunde
Meine lieben Freunde,
ich bin immer so glücklich über Eure Briefe, daß ich es gar nicht ausdrücken kann. Manchmal laufen mir dann die Tränen aus den Augen. Am liebsten hätte ich Euch dann direkt vor mir, um Euch zu danken und mit Euch weiterzusprechen. Ich wäre schon froh – und ich glaube, Ihr wäret es auch –, wenn ich Euch wenigstens selbst schreiben könnte. Manchmal träume ich nachts davon, ich könnte es, aber wenn ich dann aufwache und die schweren Klumpen aus Verband und Behandlungsmitteln als meine Hände sehe, dann gebe ich natürlich auf.
So einen Rundbrief finde ich schrecklich, weil ich Euch alle einzeln so gern mag und Ihr bestimmt traurig seid, nicht etwas ganz Bestimmtes von mir gesagt zu bekommen. Ich weiß über Eure Zukunft Bescheid, über Amerika, Indien, Zivildienst, Schule, Studium usw. oder Euer Leben zu Hause. Ich wünsche mir so, weiter an Eurem Leben teilnehmen zu können, deshalb laßt doch so oft wie möglich von Euch hören. Es ist so schön, jetzt auf einmal zu erkennen, wieviel wirkliche Freunde ich habe – wenn Ihr Euch doch alle kennen würdet, ich glaube, wir wären alle sehr gut miteinander. Ich denke an jeden einzelnen von Euch und was ich mit Euch so erlebt habe.
Bis zum nächsten lieben Brief von Euch
1000 Grüße und Blicke von Eurer Gesine

Am 16. Juni diktierte sie einen Brief für die Abiturientenentlassung im Christian-Dietrich-Grabbe-Gymnasium in Detmold. Gesines Mutter hat ihn in der Feierstunde am 18. Juni vorgelesen:

Diktiert am 16. Juni 1983
Liebe 13, liebe Lehrerinnen und Lehrer, liebe Eltern!
Es ist bestimmt schwierig für Euch, in einer solchen feierlichen und erfreulichen Situation aus meinem Krankenzimmer in Offenbach etwas zu hören. Trotzdem möchte ich nicht zu den vielen Briefen, Grüßen, Anrufen, Blumen

41

und Gesprächen unter Euch schweigen, sondern ganz deutlich sagen, wie sehr mir dieses alles Auftrieb und Mut gegeben hat.

Auch die Unterschriftenaktion, die an der Schule stattgefunden hat, hat mich ermutigt, nach meiner Krankheit mit offenen Augen weiterzuleben. Das Wichtigste, was ich Euch sagen möchte, ist, daß Ihr darüber nachdenkt, wie schön es ist, seinen Körper frei bewegen zu können, radfahren und schwimmen zu können, singen und schlafen zu können.

Ihr sollt wissen, daß Ihr durch Eure Briefe mir sehr, sehr viel helft und daß ich es auf diese Weise schaffen werde, in einigen Monaten entlassen zu werden. Ihr wißt, daß das Unglück mitten im Frieden durch ein Militärflugzeug passiert ist, ich bitte Euch, tut alles dafür, daß in unserem Land im Herbst nicht noch mehr Raketen stationiert werden, sondern die Vernichtungsdepots abgebaut werden.

Ich wünsche Euch allen ein schönes, lustiges, sekthaltiges Abitur. Vielleicht sehen wir uns später alle zusammen einmal wieder.

Eure Gesine

Ohne Datum

Liebe Ulrike,

ganz wahnsinnig habe ich mich über die Kassette gefreut, vor allen Dingen, weil es so lange gedauert hat, bis sie ankam. Ich weiß gar nicht, wie ich Euch sagen soll, daß ich so glücklich darüber bin. Darum stellt Euch einfach eine zwar schwache und in Mull eingepackte Gesine vor, die aber ziemlich glücklich und angestrengt auf dem Gang und in der Küche leichte und schwierigere Übungen macht. Schöne Ferien Euch allen, denkt immer wieder an Euren Körper, was Ihr mit ihm alles selbstverständlich treiben könnt.

Wenn es mir bessergeht, habe ich viele Möglichkeiten, vielleicht sehen wir uns dann mal. Ich hab' Euch alle ins Herz geschlossen.

Gesine

22. Juni 1983
Liebe Sibylle,
ich habe lange mal wieder auf einen Brief von Dir gewartet.
Dieser hier, den ich heute bekommen habe, hat mich berührt. Ich denke noch oft an das Gespräch, das wir auf der
Rückfahrt von Paderborn geführt haben. Ich weiß gar
nicht, wie mein Lebenssinn und meine Ausgeglichenheit
vor dem Unfall ausgesehen haben. Daß Du so offen zu mir
bist, zieht mich ein großes Stück näher zu Dir. Es hilft mir
weiter, wenn Du mir sagst, daß ich es schaffe. Die Angst
sitzt bei mir, in der Angst vor jedem einzelnen Tag, vor jedem Verbinden, vor dem Nicht-schaffen-Können. Sibylle,
es ist so schön, daß Du an mich denkst.
In der letzten Zeit habe ich Dich immer lieber gewonnen.
Diktieren ist anstrengend. Deshalb sei nicht enttäuscht,
sondern ruf meine Eltern an, wenn Du etwas Genaues wissen möchtest.
Ich freue mich auf ein Wiedersehen hier oder in Detmold.
Ich umarme Dich, so gut ich es kann.
Deine Gesine

24. Juni 1983
Liebe Lisa!
Es fällt mir so schwer, an Dich zu schreiben, weil wir lange
nichts voneinander gehört haben und ich gar nicht weiß,
wie es jetzt in der Schülerstraße aussieht. Ich weiß nur, daß
Du am Samstag an dem Stand bist (Unterschriftensamm-
lung gegen Schauflüge), und das freut mich an Dir, weil Du
Dich früher nie so auf diese Weise engagiert hast. Liebe
Lisa, ich bin so froh, daß Du hier warst, auch wenn ich davon nichts mitbekommen habe, und ich wünsche mir, daß
Du bald mal an meinem Bett sitzen kannst, mich füttern
kannst und wir uns ansehen und miteinander sprechen
können. Wenn ich an zu Hause denke, denke ich an ein
großes Fest, das wir feiern, wenn ich wieder da bin. Heute
habe ich das erste Mal mit meiner Mutter darüber gesprochen, daß meine Hände ja wirklich nur ein Glied Finger zu-

rückbehalten könnten, weil sich die anderen Glieder, wenn sie nicht total verkohlt sind, einfach nicht bewegen lassen. Wir haben heute viel an die Zukunft gedacht, aber sie bleibt für mich ein großer Berg, über den hinwegzukommen ich mir jetzt noch vollkommen hilflos erscheine. Aber mit Hilfe meiner Eltern und von Euch und meiner eigenen Kraft werde ich schon etwas finden, was mein Beruf werden könnte. Bitte, schreib mir doch mal wieder, ich freu' mich immer so. Heute z. B. kam ein Brief von H. mit Bildern aus Holland. Bitte, denk immer daran, wie glücklich Du sein mußt, daß Du frei entscheiden kannst, was Du tun möchtest, daß Du Flöte spielen kannst und daß Du über nichts von alledem nachdenken mußt. Grüß alle Freunde oder, wenn Du zu Hause bist, Deine Eltern, Christoph und Euer neues Ehepaar.

Ganz, ganz viele Grüße und ein langes Angucken von Gesine

(Lisa war einige Tage in Offenbach, ohne Gesine besuchen zu dürfen.)

24. Juni 1983

Liebe Eltern von Christine!

Der Brief von Ihnen aus Frankreich war für mich eine Überraschung und eine Freude, und ich finde, daß Sie ein gutes Deutsch schreiben. Ich war schon immer gespannt darauf, wie es in Rouen aussehen würde, weil Christine doch so oft übers Wochenende dorthin gefahren ist. Deshalb habe ich mich natürlich über die Einladung gefreut und möchte sie auch gern wahrnehmen, obwohl ich mir jetzt von meinem kleinen Krankenzimmer aus gar nicht vorstellen kann, wie ich nach Frankreich fahren könnte. Meine neu wachsende Haut wird noch lange keine Sonne vertragen können, deshalb kann ich wohl nur im Winter kommen. Die Heilung wird sehr lange dauern, man kann kein Ende absehen. Im Moment geht es nicht weiter, so kommt es, daß ich auch oft ziellos hier im Sessel sitze und abwarten muß.

Ich freu' mich schon auf ein Treffen mit Ihnen. Bis dahin, Ihre Gesine

27. Juni 1983
Lieber Philipp-Geburtstagskind!

Du wirst jetzt schon 16, Susanne 17 und ich 19, ganz schön dicht sind wir zusammen und genausooft haben wir uns gestritten und gut verstanden. Wenn wir jetzt alle zusammen wären, würden wir uns bestimmt sehr, sehr gut verstehen. Vorgestern und gestern habe ich mit Mama viel über Atombomben und unsere Angst davor geredet, auch Papa hat Angst vor einer Atomkatastrophe. Ich finde es beruhigend, wenn Ihr in Remmighausen auch ganz offen darüber sprechen könntet. Susanne fürchtet sich bestimmt auch.

Ich denke ganz lieb an Dich und wünsche mir wirklich für Dich, daß Du ein 17. Lebensjahr vor Dir hast, das Du bewältigen kannst.

Ich nehme Dich in den Arm, Gesine

Liebe Susanne!

Ich denke, daß Du manchmal ziemlich traurig sein wirst, wenn Mama oder Papa oder beide in Offenbach sind. Ich kann mir gut vorstellen, wie Du dann vielleicht abends im Bett liegst und nur traurige Gedanken im Kopf hast. Mama und ich, wir denken dann nur, daß wir fünf in Zukunft alle ganz fest zusammenhalten müssen. Philipp habe ich vorgeschlagen, daß Ihr Euch ganz offen über Atombomben und Eure Angst davor unterhaltet, auch weil Papa sich so davor fürchtet. Je mehr man redet, desto mehr merkt man, wie man doch zusammengehört.

Liebe Susanne, ich denke oft an Dich, und vielleicht darfst Du ja in den Ferien in mein Zimmer hier.

Ich umarme Dich, Gesine

»Wenn es mir gutgeht – wenn es mir schlechtgeht ...«
Gezeichnet mit einem Stift zwischen den umwickelten Händen.

28. Juni 1983:
Brief an die Religions- und erste Klassenlehrerin im Grabbe-Gymnasium

Liebe Frau Klaus!

Es sind jetzt schon drei Briefe von Ihnen gekommen, die ich noch nicht beantwortet habe. Wie entmutigend für Sie!

An Ihren Traum, in dem ich Ihnen ganz weiß verbunden auf einem Schulflur entgegenkomme und Sie mich in den Arm nehmen, muß ich ganz oft denken, weil ich Ihnen dort wirklich als Kranke begegne und nicht, wie bei vielen anderen, als ein gesunder Mensch. Ich bin der Schule sowieso heute nähergekommen, weil ich mit meiner Mutter zusammen die Aufnahme von der Entlassungsfeier gehört habe. Bei dem Kantatenausschnitt habe ich leise mitgesummt, um so den Gebrauch der Stimme wieder zu lernen. Einmal habe ich mich dabei erwischt, wie ich mich selber im Orchester sitzend befinde. Mit etwas Schrecken bin ich dann hochgefahren und habe mir die Wahrheit vor Augen gehalten, die äußersten beiden Glieder meiner Finger an beiden Händen müssen amputiert werden, weil sie so verkohlt sind. Das heißt für mich: Nie wieder Geige spielen.

Heute kam wieder ein Brief von Ihnen, und das ist der erste überhaupt, den ich zur Hälfte selbst halte zwischen Daumen und Zeigefinger und wenigstens den Anfang mit eigenen Augen lesen konnte.

Liebe Frau Klaus, es ist schön, von jemand »Tochter im Geiste« genannt zu werden. Ich hab' diesen Zug an Ihnen zwar immer gespürt, aber in den Unterrichtsjahren nicht so heraustreten sehen.

Viele Orte der Schweiz sind mir in guter Erinnerung, weil wir dort jahrelang Urlaub gemacht haben, und über Post von Ihnen aus der Schweiz würde ich mich sehr freuen.

Viele Grüße an Ihren Mann, Ihre Töchter, wenn sie in Detmold sind, und für Sie ganz viele herzliche Gedanken, Ihre Gesine

3. Juli 1983

Liebe, liebe Freunde,

in der letzten Nacht habe ich meine Flucht in einen Atombunker nach einer Atomkatastrophe geträumt. Die Enge, der Krach, die Not in diesem Bunker haben mich wie wirklich betroffen. Ich habe angefangen zu beten, daß dies nie Wirklichkeit werde.

Jetzt, wo ich weiß, daß es nur ein Traum war, da bekomme ich um so mehr Angst, ich habe wirklich Angst um meine Familie und Euch, und ich möchte, daß wir uns wirklich alle bewußt sind, wie schnell sich in unserem Leben alles ändern kann.

Vielleicht kennt Ihr das Gefühl, allen Freunden und Verwandten ganz nahe zu sein, ich habe es im Moment, und aus diesem Gefühl heraus denke ich an Euch und wünsche mir so, daß Ihr auch nicht vergeßt, an mich und Euch untereinander zu denken.

Bitte nehmt mich ernst in meiner Angst, Gesine

23. Juli 1983

Liebe N.,

als ich Deinen Brief heute las, dachte ich, wir könnten ja gleich zusammen jammern. Was für eine schwierige Situation für Euch, wenn L. sich verliebt hat! Und die Liebe zwischen Euch ist seitdem bestimmt auch nicht größer geworden. Ich kann mir Dich so gut vorstellen, wie Du sitzt und schreibst und hörst und beschäftigt bist und trotzdem ganz allein. Meinst Du wirklich, daß Kathi es langweilig findet mit Dir? Ich kann es mir nicht denken.

Aber mir geht es nicht ganz gut. Alle Körperteile, die verbrannt waren, sind jetzt abgetragen (Haut), das heißt, die Nekrosen und schmutzigen Stellen sind unter Narkose zu offenem Fleisch geworden. Bei mir sind das beide Arme und beide Beine. Dort muß jetzt überall eine Transplantation vorgenommen werden. Außerdem sind die Finger so verbrannt, daß sie amputiert werden müssen. Das sind so die nächsten Schritte bei mir. Außerdem muß ich dann

48

noch ein Jahr lang einen Anzug tragen, der die Haut spannt und Narbenbildung verhindert.

Ich denke an Dich und L. und Kathi. Versuch, es durchzuhalten.

Tschüs! Deine Gesine

28. Juli 1983
Liebe Sonja!
Du kannst Dir gar nicht vorstellen, wie sehr ich mich über Deine Briefe gefreut habe, besonders über den Satz, wo Du sagst, daß ich nur zu sagen brauche, wenn mir etwas fehlt, Du würdest schon helfen.

Ich sitze hier gerade in meinem Krankenstuhl. Meine Arme und Beine sind mit gelber, brennender Salbe eingeschmiert und fest umwickelt. Das tut wahnsinnig weh. Aber ich muß es aushalten bis Montag. Dann werde ich nämlich operiert, und einige dieser Schmerzen lassen dann nach.

Ich mache jetzt schon mit meinem Vater Urlaubspläne für das nächste Jahr. Das muß ein besonderer Urlaubsort sein, weil ich den ganzen Tag einen Anzug tragen muß, der mich vor Narbenbildung schützt.

Ich kann mir S. und St. gut vorstellen in ihrem Planschbekken. Aber sorg doch mal dafür, daß auch H. und T. mitspielen. Ich finde, es ist eine schöne Nachbarschaft zwischen uns.

Viele Grüße auch an H., S. und St. (dabei fällt mir auf, Du bist ja die einzige Frau im Haus) und an Dich von Gesine

»Es muß doch ein Leben voller Offenheit geben« – Tagebuchaufzeichnungen und Briefe aus den vorangegangenen Monaten

Getrenntsein von den Freunden,
nicht sehen, nicht greifen,
nicht zu ihnen gehen können –
das war für Gesine
bedrängender und beängstigender
als der Zustand ihres Körpers.
Sie lechzte danach,
ihnen nahe zu sein.
Leben heißt: mit anderen leben.
Wie hatte Gesine ihre Freunde erlebt?
Was hatte sie ihnen früher mitzuteilen?
Was war ihr wichtig?

Auf dem Västerån, 1982

Sonntag, 14. Oktober 1979: Tagebuch

Was ist am Samstag passiert? Morgens spät aufgestanden, frühstücken mit Zeitunglesen: Bei Todesanzeigen eine für Frank N. (Hamster) aus unserer Klasse dabei. Frank ist durch einen Verkehrsunfall umgekommen. Es ist für mich gar nicht zu begreifen, daß er einfach nicht mehr dasein soll. ... Ich möchte nicht gern sofort tot sein, wenn ich sterbe, sondern lieber arg leiden und wissen, daß ich sterben muß.

15. Oktober 1979

Liebe Hilke,

... Ich muß Dir eine ganz traurige Nachricht mitteilen: Ein Junge aus unserer Klasse ist tödlich verunglückt. In der Schule war es heute ganz schlimm. In der ersten gemeinsamen Stunde haben ungefähr 10 Leute geweint, keiner hat etwas gesagt, bis der Chemielehrer meinte, so hätte das keinen Zweck, wir müßten sowieso weitermachen, darum sollten wir gleich anfangen. Wir haben dann mit Hängen und Würgen noch einiges zum Unterricht gesagt, aber immer an Frank gedacht. Wir können uns gar nicht vorstellen, daß es ihn einfach nicht mehr gibt. – Morgen gehen wir alle zur Beerdigung, das finde ich sehr gut. Wir kaufen auch einen Kranz: »Unserem Freund und Klassenkameraden als letzten Gruß.« Den letzten Gruß hätte man meiner Meinung nach auch weglassen können, aber ist ja auch egal. Dann sollen wir nach der Zeremonie noch schön zu zweit zum Grab gehen und jeder eine Blume »reinschmeißen«, das finde ich blöd, weil es eigentlich nur die Verwandten und besten Freunde tun. Herr B. hat alles genau durchorganisiert, jetzt weiß jeder, wo er zu welchem Zeitpunkt mit wem und was zu stehen hat und was er zu tun oder nicht zu tun hat. Es ist wirklich schlimm, ich kann das nicht begreifen. Wenn ich die Todesanzeige lese, stelle ich mir Frank vor und denke, daß er das ja gar nicht sein kann. Mit der Zeit werde ich es schon verstehen.

18. Oktober 1979

Liebe Hilke,

... Am Dienstag waren wir also auf der Beerdigung. Wir haben zuerst die Ansprache gehört und sind dann mit zum Grab gegangen ... Einige aus unserer Klasse, die nicht soviel mit Frank zu tun hatten, haben fürchterlich geheult, zehn Minuten später wieder gelacht. Das finde ich ziemlich doof. Es zeigt doch keine echte Betroffenheit. Der Unterricht ist jetzt wieder ganz normal, manchmal reden wir noch von Frank, aber die Erinnerung an ihn verblaßt bei vielen von uns bestimmt schnell.

14. Mai 1980

Liebe Eri,

jetzt kommt erst mal was ganz anderes zur Erholung: Du kennst doch das Vogelnest im Spielhäuschen. Philipp hat am Sonntagabend ganz allein mit seinem Freund einen Vogel rausgeholt und ihm auf dem Garagendach ein Nest gebaut. Ich war vielleicht sauer! Nur weil die beiden was Süßes, Niedliches zum Pflegen haben wollten! Na ja, sie haben ihn immer schön gefüttert und warm gehalten. Von gestern auf heute haben die beiden eine Radtour gemacht und der Schwester von Philipps Freund und mir aufgetragen, den Vogel zu versorgen. Als ich gestern aufs Garagendach kam, war der Vogel aus dem Nest rausgehüpft.

3. Juni 1980

Liebe Eva,

o Mann, ich muß noch so viel Mathe machen! Wir schreiben morgen eine Mathearbeit, und ich hätte gerne eine 1+! Es gibt wirklich 1+ bei uns in Mathe. Die erste Arbeit war bei mir 1+, dann hab' ich eine 2− geschrieben, wenn diese noch 1 wird, krieg' ich eine 1, und schließlich will ich ja den Mathe-Leistungskurs wählen! ...

Mist, hab' ich eine Wut. Ich bin eben 20mal unseren Flur langgelaufen, um mich abzureagieren. Ein 200-m-Lauf ist da ganz günstig. (Na, wie lang ist unser Flur?)

24. Juni 1980: Aus Schweden

Liebe Erika,

... Wir haben ein Ruderboot, mit dem wir (ich, Susanne, Philipp) segeln, wir haben uns nämlich ein Segel aus einem Handtuch gemacht und erforschen jetzt den See, der, zusammengesetzt aus vielen Teilstücken, ungefähr 8 km lang ist. Morgen mieten wir uns Räder und fahren ein bißchen, vielleicht auch mal um den See herum, falls es einen Weg gibt, Wege sind hier nämlich sehr rar. Heute waren wir in Boda, Du weißt ja wohl, der Ort, in dem diese tollen Glasanhänger hergestellt werden. Wir haben unheimlich viel gekauft, es war aber auch äußerst billig im Vergleich zu dem, was man in Deutschland zahlt. Dann gibt es hier in der Nähe noch ein Ikea-Geschäft und einen ganz tollen Naturwolladen, zu dem ich unbedingt muß. Ich näh' mir selbst ein Kleid, aus weißem Stoff, und bedrucke es mit Schnecken. Was für Stoff ich für Deins nehme, weiß ich noch nicht, mal sehen.

12. August 1980

Liebe Eva,

Du, denk mal! Die Schule gefällt mir gut! Ich habe fast nur Kurse, die ich gut finde, und ich hab' die Möglichkeit, mit ganz vielen Leuten, die ich gut find', zusammenzusein. Gut! Ich habe Philosophie, das ist ein tolles Fach, was wir da so alles besprechen, das sind Sachen, über die man sich sonst gar nicht Gedanken macht, Sachen, die man sich einfach bewußtmachen muß, um sie zu verstehen. Ich freu' mich schon richtig, morgen in die Schule zu gehen.

14. August 1980

Liebe Eri,

... Ich will so viel helfen und verändern: Dritte Welt, Atomkraft, Gefangene und Unterdrückte (amnesty international), und ich weiß gar nicht, wo ich anfangen soll. Kann ich denn überhaupt etwas erreichen? Aber wenn ich nichts erreichen kann, dann kann ich doch trotzdem nicht nur einfach zuschauen, ich muß doch trotzdem etwas tun. Wenn ich die Leute hier seh', dann platze ich vor Wut, und ich platze, weil ich gar nicht weiß, was ich tun soll und wie ich was tun soll. ... Jedes Jahr ist Gedenktag in Hiroshima, aber dieses Jahr sei es den Leuten nicht so leicht gefallen zu sagen: Nie wieder Krieg!

Mein Vater hat gesagt, es gäbe heute schon 15000 (weiß nicht genau, oder 150000, ist ja auch egal) solcher Bomben wie die von Hiroshima und Nagasaki auf der ganzen Welt: 15000 Bomben, stell Dir das vor. Die kann man nicht vernichten, die bleiben für immer und ewig da und sind gefährlich! Und dann gibt es Leute, denen Atombomben egal sind! Die nur im kleinsten Rahmen denken, nur im Freundes- und Familienkreis, nur in Deutschland, an nichts anderes als an sich und ihr Eigenheim und ihr Auto und ihre Zigaretten und ihre Zahnbürste denken die!

Weißt Du, ich glaube, das einzige, was wir machen können, ist, daß wir bei unseren Freunden mal reden, mal so richtig sprechen von Atomkraft, von sich selbst, von der Dritten Welt ... Ich nehm' ein Patenkind aus Indien oder so. Ich verdiene schließlich genug Geld durch den Flötenkurs, und 40 DM im Monat bringe ich wohl noch zusammen.

15. September 1980

Liebe Eva,

am Samstag war bei uns Kunstmarkt. Das, was man sich unter »Kunstmarkt« so vorstellt, war in der Stadthalle ... Draußen vor der Stadthalle im Schloßpark waren ganz viele Stände: die Grünen, die Südumgehung-Nein-Leute, Holzspielzeug, Naturkosmetik ... Weißt Du, wenn ich zu so was hingehe, dann sehe ich, was man immer wissen muß und kann. Ich werde dann ganz wütend auf mich, weil ich so wenig weiß und mich so wenig engagiere. Aber ich weiß nicht, wie ich den ganzen Kram, den ich so mache, schaffen soll. Irgendwie muß man, wenn man sich schon engagiert, ganz viel Zeit opfern und ganz nach Natur leben, und das geht halt nicht so nebenbei.

26. September 1980

Liebe Eva,

wir machen in Deutsch Textwiedergabe und -analyse, neulich hatten wir eine Analyse von einem politischen Text (unser Lehrer ist rechts) auf, und ich habe mich gemeldet zum Vorlesen. Herr H. fand es gut! Er hat die Analyse gleich mit nach Hause genommen, weil er sie so gut fand. STOLZ!

8. Dezember 1980

Liebe Eva,

heute ist ganz tolles Wetter, tiefer Schnee, −10 Grad, blauer Himmel, Sonne! Ich war über Mittag bei meiner Oma. Um 11 Uhr bin ich losgegangen, um 12 Uhr war ich da, um 1 bin ich wieder weggegangen und war um 2 zu Hause. Ein Teil des Weges war so eingeschneit, daß ich ihn gar nicht mehr sehen konnte. Manchmal bin ich bis zu den Knien eingesunken. Es war ganz toll heute, außer mir und Robbi ist niemand da gegangen ... Ich habe gerade »Uhlenbusch« gesehen, das ist der beste Kinderfilm, den ich kenne. Gestern habe ich 2 Stunden mein Zimmer aufgeräumt und geputzt. Oh, war das anstrengend, das strengt mich immer so an, und vor allen Dingen kostet es mich immer so viel Überwindung.

19. Dezember 1980

Liebe Eri,

... Die Geschichte zu dem Wandbehang (Linoldruck von Gesine nach einem polnischen Trickfilm): 2 Männer bauen sich 2 Häuser. Der eine baut 2 Stockwerke; als der andere das sieht, baut er sich auch einen zweiten Stock. Der erste baut ein drittes Stockwerk, das tut der zweite dann auch. Jeder will etwas Besseres haben als der andere. Am Ende sind die Häuser so hoch, daß sie in sich zusammenfallen, und beide Männer sind tot. Deshalb fliegen sie auf Deinem Wandbehang da oben herum mit Heiligenschein. Natürlich

will auch, als sie schon tot sind, der eine immer höher fliegen als der andere ...
Ich wünsche mir, in Schweden zu sein; denn Schweden ist ein tolles Land, E., wir könnten ja mal nach Schweden auswandern und da säen und ernten, weben und stricken und nähen, und fischen und tischlern, backen und malen und Holz hacken, das wäre toll!

27. Februar 1981
Liebe Eri,
... Ich glaube, ich habe einen Hang zum Unglücklichen, ich merke immer mehr, daß ich eigentlich besser unglücklich sein kann als glücklich. Aber ich möchte mal wissen, wann man überhaupt »glücklich« ist. Schreib mir mal: Wann bist Du glücklich, ohne daß Du gleich an Dritte Welt, Atomkraft usw. denkst? Also einfach so persönlich, egoistisch, privat glücklich, schreibe mir das bitte mal!
Ich denke eigentlich ziemlich viel an die Zukunft, und da kann ich mir nur vorstellen, daß es mir dann noch schlechter geht. Studieren macht bestimmt Spaß, aber dann einen Beruf haben, jeden Tag das gleiche tun, dabei sich vielleicht noch sinnlos und überflüssig vorkommen und es auch sein, davor muß man doch Angst haben. Wenn wir nicht ein Leben in Sinnlosigkeit haben wollen, dann müßten wir doch eigentlich jetzt anfangen, uns und unsere Umgebung zu ändern. Nur wie? Ich stehe dem ganz hilflos gegenüber.

13. April 1981: Aus Israel
Liebe Eva,
heute war ein toller Tag, wir wohnen gerade in Tiberias und sind von da aus mit dem Bus nach Kapernaum gefahren. Ein Stückchen sind wir zu Fuß gelaufen durch Pampelmusenplantagen, das war vielleicht super, danach mußten wir noch über Wiesen mit Felsen dazwischen laufen, dabei habe ich natürlich einen Sonnenbrand gekriegt. Das ist

vielleicht schön, wenn man auf dem Berg der Seligpreisung sitzt und dabei ein Stück aus der Bergpredigt hört!

4. Mai 1981
Liebe Eri,
... Gleich muß ich erst mal wieder Nachrichten sehen. Ich finde es wirklich unmöglich, daß dieser Schmidt nach Saudi-Arabien fährt. Ich glaube, daß es was typisch Deutsches gibt: Egoismus. Schmidt fährt doch nur nach Saudi-Arabien, weil er denkt, daß er da noch ein bißchen Öl abkriegen kann, daß er damit die Situation zwischen Israel und Saudi-Arabien so stark anspannt, daß es zum Krieg kommt (es ist ja Krieg im Libanon), das ist ihm egal. E., es ist ganz schön schlimm, wenn man in den Nachrichten hört, die und die Ortschaft in Israel wird beschossen, und du bist selber vor 2 Wochen dagewesen und warst so glücklich dort, die Leute, die da wohnen, waren's auch (glücklicher als hier sind die Leute da jedenfalls). Es gibt so tausend Sachen hier in Deutschland, die mich nerven, mit denen ich es nicht mehr aushalten kann, die zu ändern ich auch überhaupt nicht die Möglichkeit habe, so daß ich eigentlich wirklich nur auswandern kann, irgendwann. Nur, wohin? Wenn es Israel dann irgendwann noch gibt, dann ja wohl noch am ehesten dahin, aber eigentlich müßte man es an vielen Orten aushalten können, und es ist ja auch ein bißchen sehr egoistisch, wenn man einfach auswandert, man müßte einfach ganz stur immer nur versuchen, was zu ändern, um den anderen Menschen zu helfen, die auch in einer Misere leben. Dritte-Welt-Arbeit kann ich von hier aus genauso machen wie von einem anderen Land aus. Na ja, wir sprechen uns dann mal in 10 Jahren, und dann sehen wir ja, wer wo lebt. Hoffentlich sind wir dann nicht zu den lahmsten, faulsten, kuschenden, obrigkeitshörigen Deutschen geworden.
Ich bin im Moment in einer Alleinsein-Phase. Ich kann unheimlich gut mit mir allein glücklich sein, spazierengehen, Geige üben, lesen, schlafen, denken, das ist ganz toll, mal

so richtig unabhängig zu sein von den Leuten, die einen so beeinflussen. Ich habe Euch alle sehr gern, Dich und Eva, F. und U., meine Cousine Anne, Susanne und Philipp, meine Eltern, denke immer viel an Euch, was ihr wohl so gerade macht und fühlt, aber ich bin nicht abhängig von Euch. Es ist natürlich schön, aber wenn ich merke, daß ich Euch so richtig brauche, dann muß das eigentlich auch schön sein, ist es auch, nur merkt man es viel zu spät.

12. Mai 1981
Liebe Eri,
ich glaube, daß Du mal ganz gut so für Dich allein sein kannst, Du freust Dich über die Sonne, eine Wiese, eine Blume, Du mußt Dir nur was Gutes dazu denken, z. B., mach' ich immer: »Wie toll, daß es so eine schöne Blume gibt, daß die einfach so wächst, und daß sie, wenn sie verblüht, dadurch hilft, daß eine neue wachsen kann« – oder: »Wie toll, daß die Sonne meine Füße warm machen kann« – oder: »Wie toll, daß ich Löwenzahn und Brennesseln essen kann« – oder: »Wie toll, daß ein Kind im Mutterleib einfach wachsen kann und daß es dann ein Mensch ist, der denken, fühlen und handeln kann« – oder: »Wie toll, daß wir unseren Mund so gut bewegen können, daß wir Laute machen können, die jemand anders versteht und die ihn glücklich oder traurig oder wütend machen« – oder: »Wie toll, daß ein Mensch Töne hören kann, Musik, die er verstehen kann und die ihn ganz tief berührt.« Solche Sachen denke ich mir dann immer, und dann kann ich ganz glücklich sein, und Du kannst das bestimmt auch.

30. Mai 1981
Liebe Eri,
ich bin in Israel nicht einmal doof angeguckt oder angemotzt worden, weil ich Deutsche bin. Die jüngeren Leute waren sowieso sehr nett, und die alten, die KZ usw. an sich selbst miterlebt haben, waren auch ganz entspannt und freundlich zu uns. Ich finde es ganz toll, daß ein Mensch so

fähig sein kann zu verzeihen. Und wir in der Bundesrepublik entwickeln schon wieder einen Fremdenhaß gegenüber Gastarbeitern. Es ist wirklich beschämend!

13. Juni 1981: Griselda-Proben (Tagebuch)

Griselda macht solchen Spaß. Die Theateratmosphäre finde ich ganz toll. Dieser Wechsel innerhalb von Minuten von musikalischer Rolle und Rolle im Schauspiel ist so verrückt.

Ich hab' immer so schwärmerische Leute gern, die sich für etwas begeistern können und sich in etwas vertiefen.

Wenn ich R. auch zum Leistungskurs Musik kriege, wechsle ich auf alle Fälle. Am Montag schreiben wir Mathe, deshalb morgen: Pauk, pauk mit B.

Detmolder Jugendorchester, Leitung: H. Gresser.
Sechste von links: Gesine

11. Juli 1981: Nach dem Kirchentag
Liebe Hilke,
... Dann war ich noch oft bei Dorothee Sölle, das ist wirklich eine tolle Frau. Die hat mich jedesmal so beeindruckt und mitgerissen, das fand ich richtig toll. Irgendwie hatte man bei ihr das Gefühl, daß sie alle Leute vereinigte, die am Frieden ernsthaft und aktiv interessiert sind. Man fühlt sich immer sicher und dazugehörig bei ihren Gesprächen.

27. Juli 1981
Liebe Eva,
ich habe 'ne neue, ganz tolle Geigenlehrerin, eine Französin, super, sag' ich Dir!

14. August 1981: Aus Schweden
Liebe Eva,
ich muß Dir jetzt doch schnell noch schreiben, damit Du nicht so allein bist in der ekelhaften Schulzeit, gelle? Wir haben hier in Schweden ein ganz tolles Haus: mitten im einsamen Wald, auf einem riesigen Wald- und Wiesengrundstück mit 8 Schafen und Lämmern, direkt am Bach, mit Kanu und Ruderboot, im Haus ein Spinnrad für das liebe Sinilein, ein Kräutertrockenständer, ein Kamin und Holzherd! ... Philipp angelt gerade, wir haben das 2 Wochen lang mit Kartoffeln, Brot, Hirse, Würmern, Himbeeren vergeblich versucht. Philipp angelt jetzt mit Blinker und hat schon 2 kleine Fische gefangen, die wir aber wieder ins Wasser gesetzt haben.
Es gibt hier noch einen ganz tollen Menschen, von dem ich Dir erzählen muß. Er hat einen weißen Rauschebart und weiße lange Locken, eine Nickelbrille und eine selbstgeschnitzte Pfeife. Es ist Carl of Strömmen (Spitzname), 83 Jahre alt. Er hat sein Leben lang hier gewohnt mit 4 Jahren Unterbrechung, wo er in New York und Chicago war. Er hat unser Haus mitgebaut und in der Sägemühle gearbeitet. (Das Haus ist eine, von seinem heutigen Besitzer ausgebaute, alte Sägemühle.) Heute steht er manchmal noch hier

am Fluß und guckt ins Wasser. Jeden Morgen kommt er an unseren Briefkasten, weil er sich so sehr Post wünscht. (Den Briefkasten, eine alte Brottrommel, hatte er mit uns gemeinsam.) Wir fahren leider bald schon wieder, ich habe wirklich gar keine Lust, in das stinkige, volle Detmold zu fahren.

19. September 1981: Tagebuch

Hab' von 13.30–15.30 Maxie Wander (Leben wär' eine prima Alternative.) zu Ende gelesen, nach drei Seiten schon Höhenflug! ... Ich war dann noch 2 Stunden bei K., hab' mich durch ihren Hefepfannekuchen gefressen und mit ihr getratscht, über gute, private Dinge, aber nur nicht zu intim! Ich Doofi: eine Stunde bei Oma, die ich liebe und die sich über meinen Besuch freut. Um 20.30 bin ich zu Hause und gucke eine Stunde einen Film über Geigen-bauer und -virtuosen, sehr interessant. Anschließend das erste Soloviolinkonzert von Bach. Ich vergesse meinen Körper für Sekunden, sacke in mich zusammen, nichts ist mir mehr bewußt. Ich weiß jetzt, glaube zu wissen, daß die Leute recht haben mit ihrem »Herz«: Glück = Weite, Öff-nung der Brust, schweben, und Schmerz = Stich in die Brust, wenn mir jemand was Gemeines sagt – das fühl' ich »im Herzen«, was sind das für tolle Nerven, möcht' ich wis-sen? Ich will jetzt noch Geige spielen, die Sendung hat mich so beeindruckt, es ist 22.15, aber, na ja ... Das Schrei-ben erleichtert, ersetzt mir den Gesprächspartner, den ich in R. suche. Morgen sollte ich an E. schreiben in meiner neuen Offenheit. Schade, daß ich vieles schreibe, als sei es zur Mitteilung anderer bestimmt; das einfach Gedachte zu schreiben, muß ich noch üben.

Spiel gut Geige, Gesine, und schlaf schön, ich könnte heu-len, daß Maxie Wanders Buch ausgelesen ist, muß schnell mit »Stiller« anfangen.

Sonntag, den 20. September 1981, 14.10: Tagebuch

Ich hatte mir diesen Tag ganz anders vorgestellt: früh aufstehen, lesen, duschen, Geige spielen, 2 Stunden in der Kirche mit den Behinderten essen, Briefe schreiben. So war's: 9.00 aufgestanden, dann in die Kirche gegangen; vor mir sitzen drei Behinderte, vor denen ich Scheu hab'. Dann haben wir in der Kirche umgebaut und gegessen. Die beiden Männer und die Frau am Tisch waren nur leicht behindert. Sie sind sehr zutraulich, stolz, in Bethel zu wohnen. Ich habe vor ihnen gar keine Scheu, bin wirklich am Inhalt dessen, was sie erzählen, interessiert, und wenn es mir zuviel wird, dann liegt's an der Form (schrecklich, dieser schulische Vergleich für Menschen), mit Form ist ihr Eifer und ihre Gestik gemeint ...

Was ich aus Maxie Wanders Buch für R.s und meine Freundschaft gewonnen habe, ist, daß wir lernen müssen, ehrlich zueinander zu sein, offen, das ist am Anfang bestimmt schwer, albern, mißverständlich ... Andere Menschen will ich offener sehen, das Liebenswerte in ihnen erkennen und vor allem immer versuchen, sie besser und besser kennenzulernen, ganz intensiv zuhören, diskutieren. Ich möchte gern in meiner Begeisterung für Literatur und Musik und Natur noch besser werden.

23. September 1981, 22.50: Tagebuch

Heute war ich krank: Magen verdorben. Ich kann eigentlich sehr glücklich sein: F. und U. haben von der Schule aus angerufen, ich hab's erwartet und erwünscht, darum konnte ich mich gar nicht mehr so richtig freuen, schade.

Dieses Geschreibsel hier ist eigentlich nur Ausweichen, ich werd' mit meinen Gefühlen nicht mehr fertig, wie denn auch? Das Musikhören und Lesen setzt doch so viel frei, und dann noch die Spannung mit meinen ganzen Freunden, die Verantwortung, Erika und Eva und Hilke schreiben zu müssen, und dann zuhören, ganz aufmerksam, wie soll man das schaffen? Da muß doch auch Zeit sein für mich und mein Gefühl, ich will doch ausgeglichen sein! Na ja, ich freu' mich immer auf das Kleine, woraus wir dann vielleicht noch was Großes machen können ...

Heute hat R. Maxie Wanders »Leben ...« gelesen, ist ganz gefesselt. Hoffentlich sieht sie das heraus, was ich auch gesehen habe. Ich lese in »Guten Morgen, du Schöne« und erkenne, daß ein *ganzes* Leben doch glücklich oder *unglücklich* sein kann. Da gibt es keine Gerechtigkeit, so daß jeder seine schweren Zeiten hätte, aber auch genug gute. Ich glaubte immer, die Leute, denen es schlechtgeht, können dafür das Schöne intensiver erleben, Leute, die früh sterben, denen wär's vielleicht zu schlecht gegangen, aber so ist es wohl doch nicht, es gibt eine Ungerechtigkeit, die wird mit jedem Menschen geboren. Ich will jetzt schlafen, aber bloß nicht weinen jetzt, das ist so schlimm und ändert nichts, zerstört höchstens mein Vertrauen in meine Freunde, denen ich vorwerfe (nur in meinem Kopf), daß sie nichts von meinem Kummer wissen, Quatsch! Ich will immer ganz und gar umsorgt werden, wie das wohl kommt?

27. September 1981: Tagebuch

Es ist toll, was so ein Gedächtnis schafft, ich hab' die Tosca-Stelle:

zwei- bis dreimal auf Platte gehört, einmal von Ulrike vorgespielt gekriegt und einmal die Noten cis-a mit Bewußtsein gesehen, den Rest hab' ich versucht am Klavier rauszukriegen, es ging nur bis zum zweiten a. Gerade eben ist mir der Rest einfach so in den Kopf gekommen, ohne daß ich eine bewußte Erinnerung daran hatte. Na ja, ich schwelge so richtig in der Melodie. Ich hab' heute unheimlich viel Klavier gespielt, es ging alles ganz leicht vom Blatt: Schumann: Kinderszenen, Bach-Suite, Mozart-So-

natenanfang und Tosca. – Ich hab' Papa das Tosca-Thema vorgespielt und gefragt: »Papa, was ist das?« – Papa: »Schumann – nein, Schubert –, du – nein, Mozart –, also das ist typisch romantisch, ein ...« – Ich: »Puccini, was wohl?« – Papa: »Madame Butterfly, nein, La Bohème – nein, Götterdämmerung!«
... Von 9.45–10.45 haben Henrik Cello und Ulrike Klavier gespielt. Dieser Wechsel von der schönen Melodie, in die man versinkt, und dem Besprechen: »Nun setz doch endlich ein«, oder: »Da machen wir die Steigerung«, ist so verrückt. Das wird beides mit Elan gemacht – diese Musikergesellschaft gefällt mir.

30. September 1981
Liebe Eri,
... Das ist vielleicht komisch, jemand ganz Fremden nach 2 ½ Stunden recht gut zu kennen. Am Anfang fällt einem ja bei fremden Menschen alles mögliche auf: bei A. das langsame, konzentrierte Reden, der Gesichtsausdruck, die Handbewegungen. Nach einer Zeit fällt einem das nicht mehr auf, alles gehört selbstverständlich dazu, ich finde das toll, diesen Prozeß des intensiven Kennenlernens.

2. Oktober 1981
Liebe Hilke,
fährst Du eigentlich nach Bonn am 10.10.? Ich möchte sehr gerne, hab' aber noch Bedenken wegen Berlin. Die Gewalttätigkeiten finde ich so schrecklich. Am Dienstag war in »Panorama« ein Film von einem Demonstranten, der die Szene von dem Unglück von K. J. Rattay gefilmt hat und auch z. B., wie ein Polizeifahrzeug mit ungefähr 50 km/h auf einem Bürgersteig hinter Demonstranten hergefahren ist. Es ist auch so schlimm, daß es immer Leute gibt, Chaoten, die aus solchen Demos ihr eigenes Süppchen kochen. Aus ganz egoistischen Gründen will ich also eigentlich nicht nach Bonn, aber ich denke mir, je mehr Gewaltlose da sind, desto besser. Ich überlege noch.

10. Oktober 1981: Tagebuch

Über R.: Traurig, daß ich doch wieder merken mußte, daß sie doch mehr ein egoistischer als ein sozialer Mensch ist. Zu ändern ist da wohl nichts, und ich muß es so schwer haben und sie trotzdem lieben. U. hat mir ganz toll und lieb geholfen, Mama war auch gut.

24. Oktober 1981: Tagebuch

U. ist so eine tolle Mischung aus ganz intelligent (sie hat z. B. eine Bruckner-Sinfonie aus Spaß ganz toll analysiert und es aufgeschrieben) und auch in ihrem Reden intelligent und hat Menschenkenntnis, durchschaut Menschen richtig und kann sich sehr gut einfühlen, und oft ist sie naiv, redet so lieb und glaubt viel. Das Tolle ist ihre Echtheit im Interesse an Musik und an anderen Menschen, alle ihre Gefühle, die sie zeigt, sind echt.

Papa sagte, als R. mir das Mathelernen mit ihr versagt hat, die Haare sollen sich im Kosinus krümmen, die mathematischen Formeln zu den Ohren rausquellen. Manchmal wünsch' ich das auch. Schlimm, einem geliebten Menschen so was zu wünschen.

15. November 1981

Liebe Hilke,

heute hab' ich in der Kirche Gitarre gespielt. Wir hatten Friedensgottesdienst und haben in der Kindergruppe – Susanne Flöte und ich Gitarre – das »Friedensnetz« gesungen und der Gemeinde beigebracht. Mein Vater hat eine ganz tolle Predigt gehalten: Frieden ist nicht ein Ziel, sondern Frieden ist der Weg zum Ziel. Dann hat er noch viel Praktisches gesagt über Frieden bei jedem einzelnen, daß man das Friedenstiften nicht den Politikern überlassen darf, und über Kriegsspielzeug. Ich glaube, die Leute waren sehr baff und geschockt, das ist aber genau das Richtige für die.

25. November 1981
Liebe Hilke,
bei Lisa ist es ganz toll. Ich war jetzt das ganze letzte Wochenende bei ihr in der Wohngemeinschaft und überlege jetzt so für mich insgeheim, ob ich da nicht einziehen soll, wenn im Frühjahr zwei ausziehen. L. und P., die noch da wohnen, fänden das wohl ganz gut. Ich bin's leid, im Moment zu Hause immer so beobachtet zu werden: Was macht sie denn nun? Wann kommt sie nach Hause? usw. Aber andererseits sollte ich die Zeit auch nutzen, denn nach dem Abi werde ich wohl sowieso ausziehen. Außerdem kostet es ja auch Geld in der WG!
Wir haben einen sehr netten Menschen in der Stufe: Achim. Hab' ich Dir von ihm schon geschrieben? Ich bin mit ihm im Musik-Leistungskurs und Deutsch-Grundkurs zusammen. Er spielt Klarinette; manchmal ist er etwas merkwürdig, da versteh' ich mich mit ihm nicht, na ja, wahrscheinlich tut sich da noch was!

8. Januar 1982
Liebe Eri,
ich will immer möglichst Offenheit, also nicht Versteckspiel um Launen und Gefühle, aber es geht noch nicht so ganz. Vielleicht liegt das auch daran, daß viele da sind, die Offenheit nicht mögen oder auch überhaupt nicht darüber nachdenken.

20./21. Januar 1982: Tagebuch
Einer von mehreren aufgeschriebenen Träumen zum Atomkrieg:
Dann Traum als Außenstehender:
Auto mit Frau, Mann, Kind
Sie fahren Auto, Flucht vorm Krieg, nach Schweden, wollen aber vorher noch Freunde besuchen, um zu sagen, daß sie flüchten. Sie fahren zu den Freunden, da bin ich auch auf einmal da und sage zu dem Mann, ohne daß die Frau dabei ist: Sie können doch vor dem Atomkrieg gar nicht

flüchten, der ist doch schneller als ein Auto! Der Mann: Ja, ich weiß, aber ich habe eine junge Frau, und die will ihr kleines Kind noch etwas beschmusen!

Nach dem Traum hab' ich wahnsinnig Angst, Angst vor Krieg, der vielleicht in ein paar Jahren da ist, hab' auch während des Traums öfter gedacht: Jetzt mußt du aber bald auswandern, nach Schweden oder Australien, so was muß man doch ernst nehmen.

25. Januar 1982: Tagebuch

Ich lebe halb im Traum, halb im Wunschtraum. Eben hör' ich: Man liebt nicht den anderen Menschen, sondern das Mögliche in ihm, und das trifft ja zu bei mir: R. und J., ich seh' genau, wie sie sind, aber lieb' sie trotzdem, weil ich vor mir seh', wie eine Beziehung werden kann. Halb im Wunschtraum leb' ich also, und er kommt mir sehr wahr vor. Auf der wirklichen Welt leb' ich kaum noch, Schule rauscht so vorbei. Aber es gibt Menschen, die eindringen, die mich rausholen aus meiner Traurigkeit, obwohl sie gar nichts von dem wissen, was in mir los ist. Eigentlich will ich es auch alleine schaffen, bewältigen, nur wenn ich vor Unglück nicht mehr kann, *und* eine gute Gelegenheit da ist, dann sage ich was.

17. Februar 1982

Liebe Eri,

ich übe jetzt auch mehr Geige, seit ich bei der neuen Lehrerin Unterricht habe, und ich überlege, ob ich im Herbst die Jungstudent-Aufnahmeprüfung machen soll. Ich bin von Lisa, die jetzt im März die Querflöten-Aufnahmeprüfung macht, und von H., der sie quasi schon hinter sich hat, angeregt, außerdem auch durch meine Mutter, die dann »tausend DM im Jahr spart« ...

Du hast geschrieben, ich sollte aufpassen mit meinen Unterschriften, falls ich mal Beamter werde; ich habe mir das noch nie überlegt, aber es stimmt schon. Die kriegen ja alles raus. Mama hat zwei Dienstaufsichtsbeschwerden innerhalb von zwei Jahren in der Schule gekriegt. Zu links! Einmal wegen kritischer Analyse der Bildzeitung in der 10. Klasse, gehört ja auch wirklich nicht in den Deutschunterricht! Das zweite Mal wegen »Klingenberg«, wegen Zeitungsanzeige mit Unterschrift für ein besetztes Haus, d. h. für das einzige besetzte Haus hier in Detmold.

4. März 1982

Liebe Hilke,
ich glaube, ich mache doch bald den Führerschein, obwohl ich mir vorgenommen hatte, das nicht zu tun. Aber es gibt wirklich Situationen, wo man ihn unbedingt braucht: wenn mal jemand plötzlich krank wird; wenn man mit mehreren Leuten in Urlaub fahren will; wenn man abends mal nach Bielefeld ins Konzert will und keine Züge mehr fahren. Man muß dann genug Selbstdisziplin haben und nicht jede kleine Fahrt mit dem Auto machen. Man darf dann nicht faul und bequem und vor allem nicht gewissenlos gegenüber dem Autofahren werden.

Diesen Brief wollte Gesine ihrem Freund, der in die DDR fuhr, zum Weiterreichen mitgeben:

Sonntag, den 21. März 1982

Ich bin sehr beeindruckt von dem, was im Februar und März in der Kreuzkirche von 5000 Jugendlichen gemacht worden ist. Es gibt mir und meinen Freunden hier das schöne Gefühl, nicht allein zu sein. Es ist ungeheuer ermutigend zu wissen, daß in anderen Ländern, gerade auch in der DDR, eine Friedensbewegung existiert. Gespräche mit meinen Freunden hier in Detmold führen immer zu dem Ergebnis, daß wir von unten herauf und vom Kleinen beginnend Frieden schaffen müssen. Daß wir also bei uns selbst anfangen müssen. Meistens sind wir aber nach unseren Gesprächen eher resigniert und gelähmt, weil wir gegen alle Mächte so hilflos sind.
Heute habe ich eine sehr gute Predigt gehört, die auch von

der Friedensbewegung in der DDR sprach. Da ist mir ganz spontan der Gedanke gekommen, daß man lauter einzelne Verbindungen zwischen den Friedensbewegungen der DDR und der Bundesrepublik Deutschland knüpfen müßte. Je länger ich darüber nachdenke, desto besser erscheint mir der Gedanke. Ich bitte Sie deshalb, nach jemandem Ausschau zu halten, der in der Friedensbewegung der DDR ist und der brieflichen Kontakt mit mir aufnehmen möchte. Vielleicht sollte ich zu mir selbst noch Angaben machen: Ich heiße Gesine Wagner, bin 18 Jahre alt, Pfarrerstochter, gehe in die 12. Jahrgangsstufe eines Gymnasiums, spiele Geige und Klavier und bin besonders an klassischer Musik interessiert.

Ich danke Ihnen sehr, daß Sie diesen Brief gelesen haben und vielleicht jemanden finden, der auch für den Friedensdienst ohne Waffen einsteht.

24. März 1982: Tagebuch

Halb traurig, halb geladen, den ganzen Nachmittag zu Hause. Die ganze Zeit mit Achim im Kopf, und daß ich ihn besuchen und mit ihm reden will. Hab' dann lange mit mir gerungen, dann angerufen, er war dran, hat gesagt: »O ja, ich freu' mich.« Gut war's! Dann bin ich hingefahren. Wir reden und schweigen, zuerst fühle ich mich total unwohl, unsicher, aber dann wird's besser, dann bin ich ein guter Bekannter von Achim. Ich weiß nicht, was sein Verhältnis zu mir ist, ich liebe ihn ja, aber er mich? Wir haben uns ganz wichtige Dinge gesagt, für mich war das ganz klar, aber daß er das auch gemacht hat!?

Wie sollen wir leben?

Was sollen wir tun?

Was sollen wir glauben?

Wir wollen viel mehr Liebe!

Wir wollen mit Leuten reden!

Wir sollten glücklich sein!

Wann sind wir glücklich?

Was fehlt uns eigentlich?

Weinst du, wenn du traurig bist?
Hat es dich Überwindung gekostet, hier anzurufen?
Ich will in einer Wohngemeinschaft leben, mit sozialer Aufgabe, körperlicher Arbeit, Kindern und Beruf. Achim reicht schon geistige Arbeit in einem Zimmer, ab und zu Leute und körperliche Arbeit.
Glücklich kann man nur kurz sein, eine Stunde reicht schon für viele Tage.

26. März 1982
Liebe Hilke,
... Aus dem Buch »Anders leben – Christliche Lebensgemeinschaften« haben wir von dem Bericht über den »Küppershof« eine Religionsklausur geschrieben. Das war ganz toll, hat richtig Spaß gemacht. Ich denke über so neue Lebensformen im Moment ziemlich viel nach. Für mich kommt für meine Zukunft nur noch das Leben in einer Wohngemeinschaft in Frage. Eine Wohngemeinschaft mit 6–8 Leuten und auch Kindern, die in einem Haus oder Hof wohnt, Gartenarbeit macht, irgendeine soziale Aufgabe hat, und wo vielleicht einige feste Berufe haben. Ich bin so ein bißchen frustriert im Moment, weil ich überhaupt nicht weiß, wo anfangen: in der Friedensbewegung, Dritte-Welt-Gruppe, soziale Arbeit, El Salvador, Amnesty oder wo? Am 17.3. hatte B. Geburtstag, und da haben wir uns auf ihrer Fete sehr lange über unsere Ängste und Wünsche jetzt unterhalten, und seitdem denke ich wieder ganz viel drüber nach, und ich glaube, eine ganz gute Hilfe ist da eine WG, eine Gruppe von Gleichgesinnten, die Mut macht und unterstützt. Außerdem zweifle ich im Moment etwas – du darfst jetzt nicht erschrecken! – an meiner sonst so festen Meinung: *Ohne Waffen* ... Einmal, weil S., eine Freundin von mir, mir von einem Dritte-Welt-Wochenende in Münster erzählt hat und auch dran gedacht hat, ob man nicht doch Waffen zur Verteidigung, z. B. nach El Salvador, geben soll. Es klingt schrecklich, aber ich kann diese Meinung schon sehr gut verstehen.

Zweitens: weil ich mit A. gesprochen hab', der jetzt anfangen wird zu verweigern und der überhaupt noch keine guten Argumente für eine Ablehnung von Waffen hat. Denn, wie sollen wir für uns ideelle und kulturelle Werte erhalten? Gegen jegliche Art von Gewalt bin ich natürlich noch, nur unter dieser äußerlichen Haut »ohne Waffen Frieden schaffen« regt sich jetzt die inhaltliche Kritik. Das Gespräch mit anderen hilft da aber wirklich viel weiter.

Gestern war ich ganz lange bei Achim, und wir haben lange über dies alles geredet. Man ist dann zwar nachher auch nicht klüger, aber doch sicherer und glücklicher. Wie stellst Du Dir Dein zukünftiges Leben vor? Es gibt nämlich gar nicht so viele Alternativen: entweder alleine oder große Familie oder WG. Ich glaub', man überlegt sich an besonderen Tagen, wie z. B. Geburtstag, schon mal, wie man wohl in 20 Jahren leben wird. Wenn überhaupt! – Oh, oh, ich bin gemein, gelt! Es ist schon eigentlich ein Wunder, daß wir jetzt noch leben und glücklich sein können.

Donnerstag, 1. April 1982: Tagebuch

Und glücklich bin ich! Nicht, weil erster April ist; nicht, weil Ferien sind; nicht, weil ich mit mir allein sein kann, und nicht, weil ich Zeit habe. Ich bin glücklich, weil die Sonne scheint, es warm ist, ich mit dem Hund spazierengehen und mit mir selbst laut reden kann, weil ich einfach ein Buch lesen und es wieder weglegen kann, weil ich gestern guten Geigenunterricht hatte und heute keine Lust zum Üben, weil ich die Violinarie der Matthäuspassion auf dem Klavier gespielt hab'. Glücklich bin ich, wenn ich an meine vielen lieben Menschen denke, ein bißchen traurig, weil sie alle nicht hier sind, und dann wieder glücklich, weil ich mich auf das Wiedersehen mit Achim und Lisa freue ...

Ich brauch' Menschen, Menschen, Menschen. Und nach Israel muß ich wieder. Am liebsten mit einem guten Freund. Mit dem Freund würde ich dann in Israel herumreisen und den Leuten Musik vorspielen. Ich hab' heute eineinhalb Stunden Gitarre gespielt und mir dabei vorge-

stellt, ich würde auf irgendeinem Markt stehen und vorspielen und singen, die Leute würden mitklatschen und
mitsingen, und nachher würde mich und den Freund jemand zum Essen und Schlafen einladen. Wär' das
schön!

Samstag, 3. April 1982: Tagebuch

17.00 Uhr ist Achim gekommen; wir sind nach Spork gegangen, haben uns über Hunde, Startbahn-West, Familien
und Omas unterhalten. Danach zu Hause mit Lippi Skat
und ein psychologisches Würfelspiel gespielt. Um
23.00 Uhr sind Papa und Mama gekommen, Mamas erste
Frage (leise): »Wann fährt denn der Junge wieder weg?« O
Mann, war ich sauer, finde ich sehr unverschämt: Ich soll
eine Woche den Haushalt machen, weil Philipp das angeb-
lich nicht allein kann, und dann wird von mir wohl noch
erwartet, daß ich die ganze Zeit allein zu Hause sitze und
Däumchen drehe!
Am Sonntag sind Achim und ich um 8.00 Uhr aufgestanden, sind dann zu Oma gegangen, wollten da frühstücken.
Auf dem Weg zu Oma hab' ich für mich über mein Verhältnis zu Achim nachgedacht. Mag ich ihn wirklich gern, ist er
nett? Er hat mich an dem Tag eher genervt, als daß ich
mich über ihn gefreut hätte. Jetzt finde ich ihn wohl nett,
hab' nur die Sorge, daß er in vielen Sachen nicht so denkt
wie ich, daß ich also meine Erwartungen in Sachen: gut
verstehen, gleiches Vokabular haben, ähnliche Lebensge-
wohnheiten, zu hoch stecke. Aber es wird sich wohl noch
herausstellen. Am Sonntag war Oma nicht da, hatte den
Schlüssel von innen steckengelassen, das ganze Haus war
zu, wir konnten nicht rein. Dann haben wir die Leiter aus
dem Schuppen geholt, Achim ist aufs Dach, ich hab' ihm
Stöckchen zugeschmissen, er hat das Fenster über der
Treppe aufgebrochen, ist rein*gestürzt* mit viel Krach, hat
die schöne weiße Tapete mit schwarzen Händeabdrücken
übersät. Wir haben dann alles wieder zugemacht, die Leiter weggebracht, alles saubergewischt, haben den Tisch

76

gedeckt und Mango-Tee und Nutella-Brot gegessen und das Radio angemacht. Was kam? Die Jupiter-Symphonie! Das war's, ein schöner Tag. Nachmittags war ich mit dem Hund draußen, hab' gelesen, abends bei Oma zu Abend gegessen, dann »Wahlverwandtschaften« geguckt.

Mein Traum für heute: Es muß doch ein Leben voller Offenheit geben, wo ich sagen und leben kann, wie es mir grad zumute ist, wo ich aber auch überlegen kann, was ich sage, ohne andere zu verletzen. Meine Fröhlichkeit hat noch nicht so den Ausweg, den sie braucht. Im Moment dienen dazu andere Menschen und Musik. Vielleicht wird's doch noch mal die Geige, das wünsche ich mir eigentlich. Noch ein Deutschlehrer-Zitat: »Ohne einen Kreon wäre das Leben nicht möglich. Ohne eine Antigone wäre es nicht lebenswert.«

3. April 1982
Liebe Eri,
hast Du eigentlich mal Maxie Wander gelesen: »Leben wär' eine prima Alternative«? Ich habe das vor ungefähr einem Jahr gelesen, war richtig fertig hinterher, war auch so traurig, weil ich sie nicht kennenlernen kann, die Maxie Wander. Ich habe jetzt noch einmal meine Tagebucheintragungen gelesen, da stecken so viele gute Gedanken drin, die mir heute gar nicht mehr kommen würden. Meine Deutschlehrerin (hab' ich neu, 'ne tolle Frau) hat mal nach einer Deutschstunde, vollgestopft mit lauter guten Sachen, gesagt: »Das, was ich euch jetzt sagen muß und was ich euch wünsche, ist: Ihr dürft eure Träume von jetzt in eurem Leben nicht vergessen!« Das war so klasse, wie sie das gesagt hat, es ist nämlich genau das, woran ich im Moment zu knacken habe. Ich sehe meine Eltern, Eltern von L., meine Lehrer usw., die schon so schrecklich gleichgültig geworden sind. Die können sich gar nicht mehr richtig begeistern, sich nicht mehr freuen, vor Freude singen und springen, können sich auch nicht mehr so aufregen über eine Sache, die sie vielleicht nervt. Was soll ich tun, damit

ich meine Freude und Fröhlichkeit nicht verliere? Ich möchte mit 40 noch gegen Atomkraft sein und möchte, daß ich andere Leute, vielleicht meine Kinder, auch zu Fröhlichkeit bringen kann. Wenn mir dann so ein Lehrer sagt: Du darfst deine Träume nicht vergessen, dann hilft mir das. Man müßte viel mehr mit Älteren reden, die könnten uns oft sagen, was wir falsch machen. Ich wollte nur sagen: Tagebuch schreiben hilft auch, und viel reden mit vielen Menschen!

3. April 1982

Liebe Hilke,

mit Achim versteh' ich mich jetzt ganz gut. Was du wissen wolltest: Wie er seine Verweigerung begründet. Er kann sie nicht begründen. Er weiß nur, daß die Bundeswehr der falsche Weg zur Herstellung von Frieden ist und daß er auf jeden Fall gegen jede Art von Waffen ist. Er stellt sich seine Verweigerung ganz einfach vor und redet eigentlich nur von seinem Zivildienst danach, und wie er sich seinen »Friedensdienst« vorstellt. Wie er die Verweigerung schaffen will, möchte ich wissen, er hat aber auch noch Zeit, wird erst im Juni 18. Christ ist er auch nicht, möchte aber trotzdem, seit er bei uns war, gern Pfarrer werden, weil er den Beruf, den Arbeitsbereich so toll findet. Vielleicht sollte er wirklich Theologie studieren, dann wäre das Problem gelöst. Du merkst vielleicht schon: Achim ist sehr unrealistisch, er macht zuviel mit dem Kopf statt mit den Händen. Wir haben schon überlegt, ob wir uns nicht irgendeine soziale Arbeit suchen sollten. Nun ja, mal sehen.

Am Samstag gehen wir mit K. und C., die ich vom Kirchentag her kenne, nach Bielefeld zum Ostermarsch. Ich weiß allerdings nicht, ob die Demo wirklich so gut ist, erstens, weil wahrscheinlich die DKP wieder mitmischt, zweitens: weil Demos in der letzten Zeit eher negativ auf die Bevölkerung wirken, oder? Durch die rechte Presse wird ein ziemlich negatives Bild von Demos und Demonstranten geschürt, aber ich sehe auch keinen anderen Weg, auf den schrecklichen Rüstungszustand aufmerksam zu machen. Manchmal denke ich, man müßte irgendwie eine soziale Organisation schaffen, eine Vereinigung aller ZDLer und sonstiger Kriegs- und Waffengegner, die sich Hilfe an alten Leuten, an Kindern und Ausländern zur Aufgabe macht und Verbindung hält zur Friedensbewegung im Ausland und die vor allem einen guten Eindruck macht auf alle Leute. Und mein Briefeschreiben an andere Leute, so wie z. B. an Dich, halte ich auch schon für eine Friedensarbeit. Man muß mit Leuten aus der Friedensbewegung in Verbindung bleiben und neue dazugewinnen. Auch mit Leuten aus der DDR müßte man Verbindung haben. Die Friedensbewegung wird jedenfalls immer größer, eine Hoffnung. Ich möchte aber auf keinen Fall utopisch werden ... Philipp hat übrigens Mumps! Sehr ansteckend! Mumps an sich ist wohl nicht so gefährlich, wohl aber die möglichen Folgen.

8. April 1982: Tagebuch
Die Friedensbewegung wird immer größer, eine Hoffnung. Aber ich möchte auf keinen Fall utopisch sein.

Montag, 12. April 1982: Tagebuch
Wenn ich mit Achim zusammen bin, hab' ich überhaupt nicht das Gefühl, ihn besonders zu lieben, ich hab' es nur, wenn ich wieder allein zu Haus bin und es mir – wie jetzt – nicht gutgeht. Ich will dann mit ihm in Ruhe reden, mit ihm Arm in Arm irgendwo gehen. Außerdem gibt es mir ein Gefühl der Beruhigung, für die Zukunft zu wissen: Da ist jemand, der dir der liebste Mensch ist und dem du der liebste bist. Ich habe das Bedürfnis nach einer ganz festen Vertrauensperson und nach einer Person, mit der ich Zärtlichkeiten austausche. Habe ich es einfach, und Achim ist der erstbeste, oder habe ich es, weil ich Achim kenne? Ich glaube, ich bin doch verliebt, gelt Achim? Ob du's auch

bist? Ich denke mir, einfach alles laufenlassen. Wenn ich etwas von meinem Verliebtsein zeige, dann wird sicherlich unsere Beziehung gleich geschwächt, verkorkst. Das darf nicht der Preis sein dafür, daß ich offen sein kann. Die Zeit wird schon zeigen, wie es bei Achim aussieht, und es ist eigentlich auch eine ganz schöne Zeit zu warten, vor allem mit sich allein zu warten, ohne daß jemand etwas weiß.

29. April 1982: Tagebuch

Was ich an einem Tag gerne tun würde:
langsam aufstehen, kurz rausgehen, duschen, frühstükken;
2–3 Stunden üben am Tag;
was Musikwissenschaftliches lesen;
was Psychologisch-Soziales lesen;
was über Frieden – Abrüstung – Ökologie lesen;
von dem allen Aufsätze *für mich selbst* verfassen;
was fürs Gemüt lesen: Erzählungen, Romane, Satiren, Märchen, Biographien;
in der Schülerstraße in der Küche sitzen und mit vielen Leuten kochen und essen;
jemanden besuchen oder besucht werden und reden;
Konzert, Oper, Theater oder Kino.
Dann müßte der Tag noch Fixpunkte haben wie: Orchester, Chor, Musikunterricht, Geige, Klavier. Der Tag müßte haben: 20 Stunden – hat er aber nicht!

7. Mai 1982: Tagebuch

Ich habe keine Lust mehr, im Englischunterricht zu sitzen und mir das blöde Geblubber anderer Leute über die Wortwahl und den Sprachgebrauch eines Pärchens in einer Liebesnacht anzuhören. Ich will nicht mehr in Bio sitzen müssen und durch das Reden und Lachen der anderen von meinen gerade neu erworbenen und erkannten Gedanken und Gefühlen abgelenkt werden. Ich will nicht im Teestübchen sitzen und so tun, als ob ich vertieft lese, nur damit ich nichts sagen muß.

Schon immer hab' ich die Leute beneidet, die mit laut aufgedrehten Radios im Auto durch die Stadt fahren und sich durch nichts in ihrer Ruhe und Selbstzufriedenheit stören lassen. So ein Radio möchte ich in mir haben. Ich möchte – wenn mir danach ist – durch Menschen gehen können, ohne jemanden zu sehen und ohne was zu hören und ohne etwas zu berühren. So wie man beim Tauchen mit geschlossenen Augen sich gleiten läßt, ohne zu sehen, zu hören und anzustoßen, nur seinen Körper und die Bewegung des Wassers um sich.

16. Mai 1982: Tagebuch

Vor drei Wochen hab' ich etwas geschrieben, was ich jetzt gut finde, ich hatte es schon vergessen:
Bilanz eines Tages
mit niemandem gewohnt
mit niemandem gesprochen
mit niemandem gelacht
niemanden weinen gesehen
mit niemandem getanzt
mit niemandem gestritten
niemanden getröstet
niemandem in die Augen gesehen
niemanden geliebt
In meinem Zimmer riecht es nach Angstschweiß, Angst vor diesem widerlichen und trostlosen Niemandsleben – eine Nacht schlafe ich in meinem Zimmer, na, und morgen?

Donnerstag, 20. Mai 1982: Tagebuch

Der Himmel auf Erden
Den Himmel gibt es doch nur auf Erden. Den Himmel gibt es nur in den Wünschen der Menschen auf Erden. Ich möchte im Himmel auf Erden wohnen, möchte mit einem langen Arm den Himmel fassen und herunterziehen, daß er sich wie ein Schleier über uns alle legt. Wir müßten doch glücklich sein können, das kann doch nicht so schwer

sein! Wir müßten uns immer wieder fragen: Was brauche ich zum Glücklichsein?, und uns unser Glück selbst einrichten. Achim hat mal etwas für mich sehr Wichtiges gesagt: Wir müssen *jetzt* glücklich sein, nicht in 5 Jahren. Aber liegt die Schwierigkeit darin, zu erkennen, *was* wir jetzt brauchen, *was* uns zum Glück fehlt, oder herzustellen das, was wir brauchen? Ich darf und will nicht über Leichen gehen, deshalb werde ich wohl nicht richtig oder immer richtig glücklich sein können. Oder ist Glück an sich überhaupt nicht erstrebenswert, liegt das Glück in dem Wechsel von Glück und Unglück?

Wachsen

weiße frische Blüten im Sonnenlicht
getrocknete Früchte, eingekellert
Die Äpfel
am Ende des Jahres
und am Anfang vom Mai
1982

Angeregt durch den Geschichtsunterricht, hat Gesine ihre Großmutter Erna Jürges nach dem Alltag im Nationalsozialismus befragt, und zwar so, wie sie ihn erlebt hat. Sie hat den Bericht der Großmutter genau protokolliert. Zum besseren Verständnis sei hinzugefügt, daß ihr Großvater, von dem häufig die Rede ist, damals als Pfarrer Leiter des Diakonissenhauses in Detmold gewesen ist.

22. Mai 1982

Das Unbegreiflichste der ganzen Zeit ist für mich, daß die Information im Untergrund so gut klappte. Man wußte immer Bescheid, was passieren würde. Als z. B. diese Sache mit der Euthanasie kam, diese Sache mit der Vernichtung unwerten Lebens, das wußten wir ja vorher. Da hatte Pastor von Bodelschwingh aus Bethel eine alte Schwester geschickt, die Bescheid wußte in Detmold, die kam mit einem kleinen Köfferchen mit der Bahn – sieht ja ganz harmlos aus, wenn eine alte Schwester zu Besuch kommt, niemand dachte ja daran, daß die so eine Botschaft bringt. Es klingelte dann bei uns, und die Schwester ging mit Opa ins Studierzimmer, und dann wußten wir Bescheid. Als dann die Fragebögen kamen, wo man ausfüllen mußte, was für Leute man hatte, da hat Opa die zurückgeschickt und geschrieben, daß er sich weigert, die auszufüllen. Es ist ja dann auch keiner getötet worden aus dem Diakonissenhaus. (Gemeint ist die Altenpflegestation.) Wir hatten aber auch zwei alte Jüdinnen, die haben sie geholt, als Opa mal zwei Tage nicht da war. Irgend jemand – es muß einer aus der Nachbarschaft gewesen sein – hat verraten, daß Opa weg war, und da sind sie gekommen. Da konnten wir gar nichts machen. Eine andere Halbjüdin konnte Opa verstecken, die bekam eine unscheinbare Stelle in einem Altersheim auf dem Land. Aber in der Nachbarschaft klappte die Information auch gut. Während der Fliegerangriffe trafen sich unsere Männer auf der Straße, da konnten sie frei miteinander reden und sagen, was sie dachten, und keiner hörte zu. Oder wir haben z. B. von drei verschiedenen Seiten erfahren, daß unsere Post geöffnet wurde. Da klingelte der Postbote morgens früh und sagte es uns, ein Lehrer aus der Nähe hatte es von seinem Postboten erfahren und ist dann zu uns gekommen, und dann haben wir es noch von jemandem erfahren, der beim Öffnen dabei war. Die haben uns alle geraten, unsre Post nicht mehr in Detmold einzuwerfen. Und so fuhren dann jeden Morgen ein paar Schwestern mit dem Rad los und brachten die wichtige Post in umliegende Dörfer und warfen sie da ein. Die Dörfer waren ja damals noch nicht eingemeindet, deshalb ging die Post nicht über Detmold. Opa hatte dann auch ein paar Deckadressen, an die die Antwortpost ging, eine war z. B. Tante Lene K., die brachte die Briefe rüber zu uns. In der Nachbarschaft hörten auch viele ausländische Sender, und da wurden ja auch immer die Namen der deutschen Kriegsgefangenen in England genannt. So hat Familie K.

z. B. drei anonyme Briefe bekommen, daß ihr Sohn in englischer Kriegsgefangenschaft sei, das war in der Nacht vorher durchgegeben worden. Familie K. hatte offiziell nur eine Vermißtenanzeige gekriegt, und das mit der englischen Gefangenschaft stimmte, der Sohn ist später zurückgekommen.

Wie viele Leute haben denn wohl ausländische Sender gehört?

Ach, man könnte wohl sagen, jede dritte Familie. Wir haben immer die Jalousien runtergelassen und trotzdem das Licht nicht angemacht und dann ein Tuch über dem Radio gehabt und ganz leise gehört. Wir mußten ja aufpassen, daß die Kinder nichts mitkriegen, die waren ja noch viel zu klein, und die haben ja alles aufgeschnappt. Du weißt ja, was deine Mutter so gesagt hat, das konnte ja für Opa gefährlich werden. Sie hat in der Schule mal erzählt: »Mein Vater hat gesagt, Hitler ist ein Hampelmann!« Zum Glück hatte sie eine gute Lehrerin, die hätte Opa aber auch anzeigen können. Bei ihrer Oma hat Gertrud auch mal was erzählt. Bei uns gab es früher immer geschlagenes Eiweiß mit Apfelmus, wenn ein Kind krank war, das nannten wir »Berliner Luft«. Als Gertrud bei ihrer Oma zu Besuch war, gab es dort auch geschlagenes Eiweiß, die nannte es aber »dicke Luft«. Da sagte Gertrud: »Oma, das heißt ›Berliner Luft‹, die ›dicke Luft‹, die macht der Adolf Hitler.« Du siehst, etwas haben die Kinder doch mitgekriegt. Wir haben aber über nichts geredet, wie sonst so in Familien geredet wird, beim Mittagessen z. B. haben wir über dieses Thema geschwiegen. Auch alle Dokumente und Briefe, die wir so hatten, haben wir versteckt. Wir hatten einen zugemauerten Wandschrank im Studierzimmer, den hatte Opa sich so eingerichtet, daß er die Steine davor gut herausnehmen konnte, und dann stand davor noch ein Bücherregal. Wir sind aber komischerweise von Haussuchungen immer verschont geblieben.

Wie klappte denn die Verständigung unter den Mitgliedern und Leitern der Inneren Mission?

Wie schon gesagt, meistens durch irgendwelche Schwestern, die zu Besuch kamen und Botschaften überbrachten. Wir wußten auch von dem geplanten Attentat auf Hitler am 20. Juli 1944 schon lange vorher. Da war Opa mal nach Berlin gefahren und hat sich mit dem Rechtsanwalt Perels getroffen, der gehörte auch mit zum »20. Juli« und ist auch umgekommen später. Diese Fahrt nach Berlin war eine gefährliche Sache. Da hatte eine Schwester eine »staatsfeindliche Äußerung« getan, und da wurde Opa natürlich sofort hinzugezogen, weil solche Äußerungen ja von »schlechter Erziehung« im Diakonissenhaus herrühren mußten, und Opa war der Verantwortliche für »die Erziehung«.

In diesem Fall war es so: Irgendwo im lippischen Norden war ein englischer Flieger abgestürzt, und der junge Pilot war tot. Sie hatten ihn an der Straße begraben. Einige Tage später lag ein frischer Blumenstrauß auf dem Grab. Diese Schwester war nun dabeigewesen, wie einige Frauen aus dem Dorf sich darüber unterhielten, wie denn der Blumenstrauß da wohl hingekommen sein könnte. Sie hatte gesagt, daß sie sich schon denken könne, wie der da hingekommen sei, daß nämlich eine Frau, die ihren Sohn oder ihren Mann in Rußland verloren hätte, den Blumenstrauß aufs Grab gelegt hat in der Hoffnung, daß das eine andere Frau bei dem Grab ihres Sohnes oder Mannes auch tue. Daraufhin wurde die Schwester eingesperrt. Die Schwester wurde von Detmold nach Halle verlegt, und als Opa sie dann da besuchen wollte, war das gerade an dem Tag nach dem großen Luftangriff auf Halle. Als Opa nach Halle kam, brannte und rauchte noch alles. Das Gefängnis war ganz leer, er hat nur den Hausmeister angetroffen, der hat ihm gesagt, daß die Gefangenen in der Nacht in aller Eile in Grüne Minnas geladen und weggefahren worden seien. Wohin, das wußte er nicht. Wir hatten seitdem von der Schwester nichts mehr gehört. Erst nach dem Zusammenbruch kam sie eines Tages ganz verlottert hier an, ich weiß noch genau, wie sie in der Küche bei uns saß und redete und redete. Nach dem Zusammenbruch hatte sich keiner mehr um sie gekümmert, da hatten sich die Frauen gegenseitig aus ihren Gefängnissen befreit und waren zu Fuß nach Hause gewandert. Vor lauter Angst waren sie immer nachts gegangen und hatten sich tagsüber versteckt. Unseren Schwestern ist eigentlich wenig passiert. Mehrere haben mal im Kittchen gesessen, ihnen ging es aber immer ganz gut; denn es fand sich immer jemand, der sich um sie kümmerte. Für das Hören von ausländischen Sendern

Großmutter Jürges mit Katharina

kriegte man vier Wochen Gefängnis, und da hatten sie einmal eine Schwester erwischt, die kam nach Bielefeld ins Gefängnis. Opa fuhr jede Woche mit dem Rad nach Bielefeld und traf sich mit einer Frau – jedesmal an einem anderen Ort – und übergab ihr Lebensmittel, die die Frau dann der Schwester überbrachte. Und so ging das immer: Es war immer jemand da von den Wärtern oder auch andere, die den Gefangenen halfen, und es waren doch immer braune Gefängnisse!

26. Mai 1982

Liebe Eva,
noch 12 Stunden, dann fahren wir los nach Wien, und ich bin so aufgeregt! Es wird ganz toll, so viele nette Leute fahren mit, fast alle, mit denen ich so zusammen bin. Super! Das ist jetzt eine ganz tolle Gruppe, fast der ganze Musik-Leistungskurs macht diese Studienfahrt mit. Heute morgen haben wir eine Musikklausur geschrieben und zwischendurch immer von Wien geredet – und was wir alles machen wollen. Ich bin so richtig gut drauf! In der Musikklausur haben wir Tschaikowskys 6. Sinfonie gekriegt und mußten davon die ersten 29 Takte als Klavierauszug schreiben und anschließend das Typische und Auffällige der Instrumentation beschreiben. War ganz gut, ich bin ziemlich zufrieden mit dem, was ich rausgekriegt habe. Aber das Beste am Ganzen war, daß das Tschaikowsky-Thema so toll, so herzzerreißend ist! Hach, ich bin so aufgekratzt, freu' mich schon so.

Studienfahrt mit dem Musikleistungskurs nach Wien 27.5.–4.6.1982

27. Mai

10.30 abgefahren in ganz tollem Sonnenschein, etwas mieser Stimmung, weil so vieles zurückgelassen – und:

Wie wird's wohl werden? Von 15.00–16.30 in Würzburg, Residenz und Garten dahinter gesehen, und dann die Mainbrücke. So ein Wasser gibt der Stadt etwas, die Atmosphäre war ganz anders als in Detmold oder Oldenburg, südlicher halt, die Leute viel offener und gesprächiger.

Ich fühl' mich ganz schlapp, weil die Nase so zu ist und ich Kopfschmerzen habe, aber es liegt nicht nur daran, ich bin noch nicht richtig unterwegs. Toll war's auf der Mainbrücke, da sind wir vor Freude gesprungen.

28. Mai

St. Florian war so schön, das hat mich so überwältigt. Ich war erst mit U. noch in den Gängen und Gärten und in der Stiftskirche. Es ist wirklich heilig, heilig, heilig, so unwahr, so unwirklich, durch diese Gänge zu schweben, so ganz frei zu sein, weil man das schöne Gelb sieht, den Wind in den Gängen spürt, den Duft von Blumen riecht, einfach so offen ist für alles, Farbe, Duft, Geräusch, so möchte ich immer sein können.

Was war eigentlich so schön daran? Ob ich mir dieses Offen-sein-Können erhalten muß, ob es mir mal verlorengeht? Ist es überhaupt das Richtige, nur offen zu sein, oder befriedigt das irgendwann nicht mehr, und der Intellekt muß hinzukommen, so daß ich mir, wie so alle sich als gebildet fühlenden Leute, sagen kann: Dies ist Barock, Spätgotik, 12. Jahrhundert, das ist in der Zeit des Kaisers ... entstanden usw. Vielleicht ist beides faszinierend: das Erspüren eines Ortes und die Geschichte. Wir haben unten in der Gruft vor Bruckners Sarg und aufgestapelten Knochen und Totenköpfen das »Locus iste« gesungen, das hat mich aber weniger ergriffen als die weißen Gänge und der gelbe Stein.

29. Mai

Heute früh bin ich viel zu früh wach geworden, habe im Bett gelegen und mir gewünscht, daß der Tag schön wird, und das ist er dann auch. Morgens sind wir dann erst mal mit Herrn Gr. im Musikvereinshaus Karten holen gegangen. Die Wiener Philharmoniker haben geprobt, und wir haben es durchs Treppenhaus gehört. Das war eine Stimmung in uns! Dann haben wir noch für 50 Schilling Karten für das Pittsburgh-Orchester bekommen, und dann bin ich mit Achim losgegangen. Mit Achim! Manchmal mag ich ihn so gern – wie heute. Einfach so in Ruhe schlendern, das geht gut mit ihm. Bis 2 Uhr, dann zum Bus, nach Hause, umziehen, ins Konzert, super, wieder raus, mit H., U., L., S. ins Hawelka-Künstlercafé. Danach wieder Konzert: Tschaikowsky, Rachmaninow! Super! Dann nach Hause fahren und mit vielen Leuten essen. Jetzt schlafen.

30. Mai
Um 9.30 mit dem Bus in die Stadt, um 11 Uhr in die Heiligmesse von Haydn in der Augustinerkirche. Ganz tolle Akustik, Chor und Orchester gut. Haydn ist doch nicht nur Nudelmusik, nur Schein! Danach mit A., L., S. zum Freud-Museum und zur Votivkirche. Das Freud-Museum in den Räumen der Freud-Wohnung und -Behandlungszimmer, feine Atmosphäre, und Bücher hat der Mensch geschrieben! Seine Zimmer waren ganz bunt und vollgestellt, mit Teppichen, Büchern, Regalen – bedrückend.
Mit allen im Belvedere, schön, aber blöde, mit 20 Leuten durchzuhetzen. Das muß man als Liebespärchen tun. Schönbrunn war gut, mit L. und H. Abends drei Haydn-Symphonien mit Jochum, Stehplätze für 40 Schilling unter der Hand gekriegt. Saugut haben sie gespielt, Jochum netter Dirigent, gutes Verhältnis zum Orchester.

2. Juni: Fahrt zum Neusiedler See
Die Neusiedler-See-Landschaft hat mich so erfaßt, weil ich, glaube ich, im Flachland nicht leben kann. Es ist zwar ungeheuer schön für mich, meine Augen über endloses Land und Meer gleiten zu lassen. Aber wenn ich spazierengehe, dann möchte ich mich mit den Augen irgendwo an

einem Berg festhalten können. Am Neusiedler See war es so gut, weil da Berge sind *und* Wasser und Wind.

Eins aber weiß ich: Ich möchte ein Zimmer ohne Lärm. Ich bin bei uns an der Hornschen Straße so empfindlich geworden durch den dauernden Lärm, ich könnte vor Wut etwas zerschlagen, wenn ich am Schreibtisch sitze, lese – und ich ihn dann plötzlich wieder höre, den Lärm. Nachts tut's mir manchmal schon in den Ohren weh, und ich glaube, daß ich früher meine Geige besser stimmen konnte als heute, daß ich auch wirklich besser gehört habe (an Intonation). Also Ruhe brauche ich.

Ich bin jetzt froh und glücklich, ich habe meine Anerkennung, habe Leute gern und sie mich, ich merke, wie die Menschen, mit denen ich zusammen bin, immer besser zu mir passen, viel enger werden die Verbindungen. Wenn ich dann woanders hingehe zum Studieren, wird der Kreis noch eine Nummer enger, bis mir dann mal jemand über den Weg läuft, den ich heiraten möchte, höchste Stufe! Wenn ich Kinder hätte, einen Mann, dann könnte ich wohl auch mit Familie auf dem Land leben.

Wovor habe ich am meisten Angst? Daß es irgendwann mal Menschen gibt, die ich schon so gut kenne, daß ich mit ihnen nichts mehr zu reden habe, daß die Luft raus ist, daß keine Lust mehr da ist, noch mehr von ihnen wissen zu wollen.

Hab' ich Angst vor dem Tod? Früher hab' ich geweint, wenn ich abends im Dunkeln im Bett lag und mir dachte, daß nichts mehr von mir da ist, ich vergessen bin. Ich wollte nicht vergessen sein, wollte ein *Großer* der Welt sein, wollte nicht einer der vielen Kleinen sein. Heute ist es mir egal, ich lebe *jetzt*, über das »Nach mir« mache ich mir keine Gedanken.

Donnerstag, 3. Juni

Morgens frei, mit L. zu Doblinger, dann im Hawelka was getrunken, dann zum Musikinstrumente-Museum. Dort Achim und alle anderen getroffen, mit Achim Neuigkeiten

Mit Ulrike und Lisa (Mitte und rechts) 1982

ausgetauscht, war schön, sich auf der Treppe neben ihn zu setzen und zu erzählen und zu zeigen, was man bei Doblinger gesehen und gekauft hat. Dann Musikinstrumente-Museum, super gut! Macht schon allein Spaß, alte Instrumente zu sehen, Clara Schumanns Flügel, alte Geigen, Glasflöte, Holzbläser.

So eine schöne Stadt! L. und H., studieren wir hier? Mieten wir uns so ein Haus da unten im Wald an der Donau, 15 Minuten bis zur Stadt? Wär' doch schön!

Wir haben dann am Brunnen gesessen, gegessen, die Füße gekühlt. Da standen dann noch zwei Klarinettisten, ungefähr 18 Jahre, saugut geblasen. Hab' mich gleich gut mit ihnen verstanden. Haben von meinem Wasser getrunken, von meinem Eis geleckt, Mozart gespielt und mit mir geredet und gelacht. Gut war's, als die anderen drei weg waren, ich allein mit den Klarinettisten, das war gut.

3. Juni 1982: Aus Wien
Grüß Gott, Eva,

es ist schön in Wien, wir verstehen uns gut, auch mit unserem Chef, machen viel zusammen und sehen und hören beste und schönste Sachen! Gestern haben wir den ganzen Tag in Museen verbracht, dann zwei Stunden für Opernkarten angestanden und dabei gevespert, danach dann noch drei Stunden Stehplatz in »Carmen«! Die Füße kann man danach wegschmeißen, aber froh und glücklich ist man!

Juli 1982: Aus Schweden
Liebe Hilke,

gestern haben wir uns übrigens einen alten Hof (echt alt und schwedisch), bestehend aus 2 Wohnhäusern, 2 Schuppen, einem Backhäuschen, einem Tischlerschuppen mit Knechtekammer und einem großen Grundstück, angesehen, dessen Besitzer einen tödlichen Autounfall hatte und das darum verkauft wird. 1 Wohnhaus, 1 Schuppen und eine Backstube für 50000 DM! Das wäre toll, ich hab' schon überlegt, daß ich da ja nach dem Abitur ein Selbstversorgerjahr verbringen könnte, mit Klo draußen, Wasser aus der Pumpe, Holzofen usw. Kommst Du mit? Na ja, alles Pustekuchen!

31. Oktober 1982: Tagebuch
Achim hat seine Unsicherheit zugegeben. Mensch, so mag ich ihn viel lieber! Wäre er doch etwas unsicherer.

Wer die Schuhe geputzt kriegt,
kann ja nicht alleine gehen;
wer das Bett gemacht kriegt,
kann ja nicht allein schlafen;
wer alles vorgedacht kriegt,
kann ja nicht Eigenes denken.

Wer nicht geht, schläft, denkt ...,
der hat niemals gelebt,
der lebt nicht, ist mausetot.

In einer Welt von Toten und
einigen Lebenden ist Stille;
denn Tote morden Lebende täglich.

Woher weißt du, Lebender, wer
tot ist und dich morgen umbringt?
Augen auf!

30. November 1982: Brief Gesines an ihre Tante
Liebe H.!
So, ich habe es mir jetzt mal ein bißchen gemütlich und weihnachtlich gemacht mit einem Bier und einer Mandarine und Nüssen. Und weil ich Dir in den letzten Tagen immer schon mal schreiben wollte und heute nun erfahren habe, daß Du womöglich noch ein zweites Mal operiert werden mußt, schreibe ich jetzt. Ich denke, ich kann mir ganz gut vorstellen, was für ein ungeheurer Druck auf Dir lastet. Einmal soll die Familie nicht so sehr leiden, Kai soll

nicht so traurig sein; Rudi, Sigrid und Andreas sollen es nicht so schwer haben, zum anderen mußt du aber auch richtig gesund werden und nicht die Krankheit nur für später aufschieben. Außerdem gehört auch Ruhe zur Gesundheit, und die kannst Du ja wohl ganz gut brauchen! Na, es gibt wohl keine Lösung, vor allem, weil es ja nicht nur eine Lösung für jetzt, sondern für eine längere Zeit sein müßte.

Ich war ja nun am letzten Sonntag in Frankfurt bei der Taufe meines Patenkindes Kathrinchen! Sie ist ein ganz zufriedenes, ruhiges Kind geworden, weint nur noch sehr wenig. Das war ja in den ersten Monaten so schwierig mit ihr, daß sie so unruhig war, wahrscheinlich wegen der langen Zeit im Krankenhaus, jetzt ist das aber vorbei. Jan ist der stolze große Bruder, der mit seinen Faxen Kathrinchen am schnellsten zum Lachen bringen kann. Und ich bin die stolze Patentante, die sie immer im Arm rumtragen kann.

Ich hab' ja nun in ein paar Monaten mein Abitur hinter mir und weiß noch gar nicht so genau, wie es dann bei mir aussieht. Wahrscheinlich werde ich zum Wintersemester die Aufnahmeprüfung für Schulmusik machen, obwohl ich in den Städten, in die ich gerne gehen möchte (Freiburg, Hamburg), möglicherweise keine Chance habe, weil die Ansprüche einfach zu hoch sind für mich.

Ich bin im Moment auf dem Dorothee-Sölle-Trip, weil ich eine so konservative Religionslehrerin habe, daß ich alles, was mich an unseren Themen wirklich interessiert, selbst nachlesen muß. Und bei Dorothee Sölle findet man da meistens gute Sachen. Wie ist das bei Dir mit Lesen? Das ist ja wahrscheinlich jetzt die einzige Beschäftigung für Dich, und deshalb bist Du jetzt mit Lesestoff gut versorgt – oder? Na, ich schreibe trotzdem mal was auf! Ich wünsch' Dir gute und schnelle Besserung und hoffe, daß Du dann auch nach Heiligenkirchen kommst. Mach's gut, Gesine

Aus: Dorothee Sölle, Sympathie, Stuttgart 1978, S. 290:

Wem gehört eigentlich Weihnachten?

Wem gehört diese Musik?

Wer hat ein Recht darauf?

Für wen machen sich die Engel auf den Weg?

In wessen Interesse leuchtet der Stern?

Für wen ist der Befreier geboren?

Wem gehört Weihnachten?

Wir wissen die Antwort:

Es waren die deklassierten Hirten, die nicht lesen und nicht schreiben konnten, die Ausgebeuteten, die Kinder, denen man die Schule zerbombte, die Wohnhütte und die Deiche.

Es sind die Nachtschichtler mit dem zerstörten Einschlafrhythmus; es sind die Machtlosen, die ohne Lobby sind für ihre Belange; es sind die Obdachlosen, die dreimal die Miete nicht bezahlen konnten und die nun in den Kasernen wohnen; die Verfolgten, die in den Einzelzellen verzweifeln; die Ausgebeuteten, die um ihren Lohn betrogen werden.

Es sind die, deren Ehe zerstört ist und die am Leben verzweifeln; es sind die, die Angst vor dem Leben haben und aus ihrer Depression nicht herauskönnen; es sind die Alleingebliebenen, denen Menschen gestorben sind.

Haben wir keinen Teil an Weihnachten?

Nein, wenn wir gegen sie arbeiten, denen Weihnachten versprochen ist! *Nein*, wenn wir am Krieg und am Hunger der anderen verdienen.

Ja, wenn wir mit ihnen sind. *Ja*, wenn ihr Schmerz unserer wird. Dann werden wir mit den Engeln singen lernen.

2. Januar 1983: Tagebuch

Ich hab' lange nicht mehr so nur an einen Menschen gedacht und so zugehört wie gestern. Und so war es gut, daß ich es war, die zuerst aufgestanden ist und die Schuhe angezogen hat, da brauchte ich nicht zu ertragen, wie er der erste ist; denn das ist das Schlimme, daß irgendwann ein

Ende ist, Abschiednehmen fällt mir immer schwer und schwerer, und wenn es nur für eine Nacht ist.

7. Januar 1983: Ein literarischer Versuch
(nach mehreren Fassungen überschrieben mit »Reinschrift«)

Ich lege meinen Kopf auf den runden Tisch in der Wohnstube, schließe meine Augen und atme. Es duftet so eigenartig hier wie schon lange nicht mehr. Es ist nicht das Lavendelwasser, daß sie sich in ihren letzten guten Tagen oft unter die Ohren tupfte; es ist etwas ganz Süßes, eine Ungeduld, eine Erwartung. Es ist etwas Junges. Seit sechs Tagen schon duftet es so, gerade habe ich das Fenster geöffnet, damit es endlich verfliegt. Durch das Fenster höre ich das Brummen der entfernten Stadt, und ich höre in der Nähe das Rauschen eines Stoffes. Ich weiß, es sind doch die Gardinen, die so rascheln im Wind. Aber es ist mir, als streiche sie hier durch die Räume. Diese schlanke Frau, mit dem hochgeschlossenen schwarzen Kleid und dem Samtband um den Hals. Die Haare hängen ihr in Strähnen um das Gesicht, und ich weiß, daß sie jeden Morgen Zeit aufwendet, um in diese Strähnen Locken zu bringen. Nun streicht sie hier herum, um den Tisch, am Bücherregal vorbei zum Fenster, an dem sie lange steht und guckt und wartet. Wie abgefallen ihre Schultern sind, und wie ihr der Kopf schlapp auf dem Körper sitzt! Obwohl ich sie nur von hinten sehe, kenne ich ihren müden Blick, ihre matten Augen, die nichts mehr erwarten und trotzdem immer wieder aus dem Fenster sehen. Ich weiß auch, daß sie nicht ganz schlank ist, sondern schon seit einigen Wochen schwanger. Maria wartet auf Franz.

Jeden Tag und jede Nacht wartet sie seit diesen Wochen, und immer wieder tupft sie sich Lavendel ins Gesicht, immer wieder dreht sie sich Locken ins Haar und steht am Fenster und wartet. Wartet Tag und Nacht. Nein, Maria, dein Franz wird nie kommen. Und dein Kind ist längst groß, meine Mutter. Da schließt Maria das Fenster, wendet sich zu mir um und verläßt den Raum. Seit dem Tod meiner Großmutter vor sechs Tagen folge ich ihr täglich vor den Spiegel und drehe mir Locken und verbreite Lavendelduft in der Wohnung.

Als es gestern an der Tür schellte, öffnete ich und sagte: Zu spät, Franz, Maria lebt nicht mehr, aber setz dich zu mir an den runden Tisch, auch ich habe Locken und dufte nach Lavendel.

12. Januar 1983

Liebe Hilke,

zur Beantwortung Deines Briefes hab' ich mir einfach Zeit genommen, jedenfalls in der Vorüberlegung, wieviel Zeit ich mir jetzt zum Schreiben nehmen und erlauben kann, weiß ich noch nicht, mal sehen! Ich hab' natürlich die ganze Zeit hindurch gemerkt, daß ich so was wie Vorbild für Dich war.

Gemerkt hab' ich das an Deinen Briefen, die waren ja immer um einiges genauer und länger als meine. Ich hab' oft eben einfach mal einen Brief geschrieben, während Du Dir, glaube ich, ziemlich viel Mühe gegeben hast. Und bei den Besuchen hab' ich es bemerkt, es war jedenfalls nie ganz ausgeglichen.

Ich hab' immer darauf gewartet, daß Du von Dir aus was sagst oder schreibst, weil es von mir ja schlecht ausgehen konnte, und ich finde es ganz toll, daß Du es gemacht hast. Ich kenne das auch und weiß, daß ganz schön viel Selbsterkenntnis und Überwindung dazu gehört, so was auszusprechen. Ein Grund für dieses Verhältnis ist, glaube ich, daß ich vielleicht einfach mehr »Ich-Gefühl« habe, d. h., daß ich nicht unbedingt selbstbewußter bin, eher im Gegenteil, sondern daß bei mir innen drin alles ziemlich sicher und klar ist. Es liegt also zum Teil auch an der Natur von uns beiden. In der letzten Zeit ist es viel besser geworden, das stimmt natürlich, und damit es richtig ausgeglichen wird, braucht es einfach Zeit.

17. Januar 1983

Liebe Eri,

gestern habe ich mal wieder in Maxie Wander gelesen, und sie sagt einmal, daß es schon ein Glück sei, daß wir Briefe schreiben und Gespräche führen können. Stimmt doch, gelt?

Begründung für die Wahl des Schulmusikstudiums

Die Motivation, die mich zur Wahl des Schulmusikstudiums geführt hat, ist zunächst einmal mein eigenes, persönliches Interesse an Musik, dazu gehört sowohl die Freude und Befriedigung beim praktischen Musizieren als auch beim Hören, Analysieren und Interpretieren von Musik. Die vielen Jahre Violin- und Klavierunterricht und der Musik-Leistungskurs haben mich immer weiter in den Stoff »Musik« geführt und mein Interesse daran intensiviert, so daß mir seit langem ganz klar ist, daß ich Musik in Zukunft nicht als Hobby, sondern als meinen Beruf ansehen und anstreben möchte.

Bei der Entscheidung für den Studiengang Schulmusik hat die Gewichtung der theoretischen und historischen Fächer neben den praktischen eine große Rolle gespielt. Es ist mir eine unbefriedigende Art, Musik zu betreiben, wenn man nur die Noten spielt, über den Komponisten, die Stilepoche, die Form, den Inhalt nichts oder wenig weiß. Von daher erscheint mir der wissenschaftliche Unterricht sehr wichtig, für mich hat er allerdings noch eine eigene, abgehobene Bedeutung, er interessiert mich an sich, es fasziniert mich der Lebenslauf eines Komponisten, seine Stilrichtung, seine Ideen bei einzelnen Kompositionen. Aus diesem Grund scheue ich mich, ein Studium mit dem Ziel Orchestermusiker anzutreten, weil mir die theoretischen Fächer in diesem Studium wie auch später bei der Berufsausübung zu kurz kommen. Ebenso scheint mir die Gefahr, in diesem Beruf zum »Fachidioten« zu werden, hoch, als Studienrat mit zwei Fächern und im Umgang mit unterschiedlich interessierten Schülern und Kollegen ist diese Gefahr geringer.

Neben den persönlichen Gründen für meine Entscheidung gibt es auch noch allgemeine in bezug auf die Rolle der Musik im Leben eines einzelnen Menschen. Es besteht in mir der Wunsch, Musik, die ich für mich entdeckt und begriffen habe, an andere weiterzugeben. Und dies geht besonders effektiv bei Kindern und Jugendlichen. Durch Medien wie Fernsehen und Radio wird die Sensibilität für Musik abgestumpft, die Fähigkeit zum konzentrierten Zu- und Hinhören geschwächt und damit der Musik die Rolle der Unterhaltung aufgezwungen, wobei ihre ursprüngliche Funktion als Ausdruck von Kunst und Vermittlerin von Inhalten verlorengeht. Hier einzugreifen, ist Aufgabe eines Musiklehrers. Wie schwierig und manchmal unmöglich das sein kann, ist mir bewußt, um so ermutigender sind dafür dann auch Erfolge: Ich habe dreijährige Erfahrung im Unterrichten von Grundschulkindern, die vom Elternhaus her nicht mit klassischer Musik in Berührung gekommen sind, die aber relativ leicht Zugang zu ihr finden konnten, und denen der praktische Umgang mit Musik, z. B. über das Orffsche Instrumentarium, Entspannung und Möglichkeit zur Entfaltung von Phantasie bedeutete. Eine wichtige Aufgabe des Musiklehrers ist es sicher, die Möglichkeiten jedes Kindes zu Phantasie und Kreativität zu wecken und zu fördern, was in der Schule sonst nur dem Fach Kunst, allenfalls noch Sport, vorbehalten ist.

Die geringe Rolle, die das Fach Musik unter den Fächern der Schule spielt, ist mir bewußt. Das Fach steht in dem Zwiespalt, dem Schüler einerseits Entspannung und Kreativität zu ermöglichen, ihm aber andererseits Musik als ernstzunehmendes Leistungsfach nahezubringen, d. h., ihm den Ruf als Nebenfach, Fach zum Punktesammeln usw. in der Schule zu nehmen. Dieser Aufgabe vollkommen gewachsen ist sicherlich kein Musiklehrer, aber sie annäherungsweise zu bewältigen, ist sicher vielen und hoffentlich auch mir möglich.

17. März 1983 (Mitternacht, nach dem Umzug der Familie in das neue Haus): Tagebuch

Durch Regen nach Hause geradelt, öffne dann die Tür, stehe mit Philipp in der Küche, und flüsternd erzählt er mir von seinem Kunstlehrer und seinen Bildern. Als ich in sein Zimmer gucken gehe, sehe ich ein Bild: »Danke, ich lebe, lebe, danke.« Ja, ich lebe auch, und wie schön! Meine Hand riecht noch nach Achim; meine Schuhe sind noch voll Schlamm von dem Spaziergang mit Lisa; in meinem Magen ist der Apfel, den ich heute gekauft habe. Es gefällt mir, mein Leben, ich habe nur eins.

29. April 1983: Tagebuch

Ich habe Angst vor den nächsten Monaten, Angst vor dem großen Loch, das da auf mich zukommt nach dem Abi, daß ich aus dem großen Loch nicht so schnell wieder herauskomme. Und ich habe Angst, daß ich die Menschen hier verliere, die mir jetzt alle so wichtig geworden sind. Ich möchte die Zeit jetzt noch genießen; morgen ist ohnehin ein wichtiger Tag. Mein Wunsch: Er soll schön werden.

Am 30. 4. 1983 schrieb Gesine ihre Abiturklausur im Fach Religion zu dem Thema: Die zukünftige Welt – Ein Vergleich des Kirchenliedes: ›Ich wollt, daß ich daheime wär‹ mit einem Gedicht von Erich Mühsam. Das Kirchenlied hat folgenden Text:
Ich wollt, daß ich daheime wär'
und aller Welte Trost entbehr'.
Ich mein', daheim im Himmelreich,
da ich Gott schaue ewiglich.
Wohlauf, mein Seel, und richt dich dar,
dort wartet dein der Engel Schar.
Denn alle Welt ist dir zu klein,
du kommest denn erst wieder heim.
Daheim ist Leben ohne Tod

und ganze Freude ohne Not.
Da sind doch tausend Jahr wie heut
und nichts, das dich verdrießt und reut.
Wohlauf, mein Herz und all mein Mut,
und such das Gut ob allem Gut.
Was das nicht ist, das schätz gar klein,
und sehn dich allzeit wieder heim.
Du hast doch hie kein Bleiben nicht,
ob's morgen oder heut geschicht.
Da es denn anders nicht mag sein,
so flieh der Welte falschen Schein.
Bereu dein Sünd und beßre dich,
als wolltst du morgen gen Himmelreich.
Ade, Welt, Gott gesegne dich!
Ich fahr dahin gen Himmelreich!

Das zu vergleichende Gedicht von Erich Mühsam:
Völker, erhebt euch und kämpft für die ewigen Rechte!
Kämpft und erobert die Freiheit dem Menschengeschlechte!
Reif ist die Zeit! Völker, erhebt euch zum Streit!
Duldet nicht Herren noch Knechte.

Brüder der Arbeit, vereint eure Kräfte zum Bunde!
Einigkeit richtet die Macht der Tyrannen zugrunde!
Stürzt sie in Nacht! Sammelt die eigene Macht!
Arbeiter nützet die Stunde!

Schließt, Proletarier, ihr den Verband der Nationen!
Jeder für alle, so sprengt ihr die Liga der Drohnen.
Baut euch die Welt, die keine Zwietracht zerschellt!
Lasset den Frieden drin wohnen!

Machet ein Ende dem Krieg und dem Raub und dem Grauen!
Gleichheit den Völkern, den Rassen, den Männern und Frauen!
Gleichheit versöhnt. Arbeit, durch Gleichheit verschönt,
wird euch die Freiheit erbauen.

Umkehr ist mehr als Bedauern –
Reaktionen

Unterschriftenaktionen gegen Schauflüge

Unter den ersten schriftlichen Äußerungen, die für Gesine auf der Intensivstation eintrafen, war ein Gruß aus Frankfurt. Als Absender stand geschrieben: Die Männer und Frauen der US Air Base. In ihrem Brief verwiesen sie auf den Allmächtigen. Unsere Antwort vom 25. Mai kam am 15. Juli mit dem Vermerk zurück: Empfänger unbekannt.

Der Parlamentarische Staatssekretär im Verteidigungsministerium, Peter-Kurt Würzbach, erklärte drei Tage nach dem Absturz vor dem Bundestag, daß auf derartige Schau-Flugtage »grundsätzlich nicht verzichtet werden« könne. »Sie entsprechen auch dem ausdrücklichen Willen der Bevölkerung« (dpa 26. 5. 1983).

In Frankfurt gab es sofort Proteste, Zeitungsanzeigen, Aufrufe, Umzüge. Eltern und Schulkinder, Stadtteil-Versammlungen und Kirchengemeinden meldeten sich zu Wort. In Detmold sammelten Gesines Mitschüler, ebenso auch Mitglieder der Kirchengemeinden Heiligenkirchen und Remmighausen 13000 Unterschriften

Unterschriftenaktion in Detmold

gegen militärische Schauflugveranstaltungen. In dem Aufruf der Schule heißt es: »Wir als Mitschüler, Lehrer und Freunde von Gesine Wagner sind tief erschüttert über das Unglück, bei dem am Pfingstsonntag in Frankfurt am Main die Familie Jürges durch einen abstürzenden Starfighter getötet und Gesine lebensgefährlich verletzt wurde. Wir verstehen nicht, daß in dicht besiedelten Gebieten Schauflüge durchgeführt werden, obwohl schon über 200 Starfighter abgestürzt sind. Wir verstehen nicht, wie Menschenleben so leichtfertig gefährdet werden können. Wir fordern, diese Schauflüge in Zukunft nicht mehr durchzuführen ...«

Der Pilot

Der Pilot des abgestürzten Starfighters war sofort nach seinem Ausstieg mit dem Schleudersitz isoliert worden. Seine Aussage ist der Staatsanwaltschaft vorenthalten worden. Mitten im Rechtsstaat Bundesrepublik schafft das Nato-Truppenstatut einen Raum, in dem Rechtsprechung verhindert wird.
Auch uns gegenüber hat sich der Pilot in keiner Weise bemerkbar gemacht. Möglicherweise wurde er auch dazu genötigt. Wie wird er mit dem Schatten, der Blut- und Brandspur in seinem Rücken leben, ohne die Freiheit, sich umzuwenden und offen über das Geschehene zu sprechen?

Mahnwache in Ramstein

Am 7. August 1983 fuhren einige von Gesines Freunden zur Großveranstaltung der US Air Force nach Ramstein, um mit Bildern der Frankfurter Toten vor dem Prahlen mit militärischer Macht zu warnen. Eine von ihnen, Annegret Wiemann, schreibt im Rückblick:

Die Erinnerung an die Mahnwache am Westtor des Fliegerhorstes Ramstein ist die Erinnerung an den Versuch zehn betroffener Schüler, Betroffenheit zu wecken. Zehn »Sandwich-Transparente« – plakativ auf Bauch und Rücken. Illusorisch, so an der scharfen Polizeikontrolle vorbei auf das Flughafengelände kommen zu wollen. Was uns also bleibt: Mahnwache entlang der Autobahn, die direkt zu dem einen der beiden Haupttore führt. Am Straßenrand uns aufzustellen, im Abstand von einigen Metern zueinander. Den Ankömmlingen das schwarz umrandete Bild eines Menschen und eines Autowracks anzubieten, abwechselnd. Denkbar einfach zu begreifen, unsere Mahnung; unverschlüsselt, plakativ. Es kann doch nichts Leichteres mehr geben, als zu erschrecken auf dem Weg zum Westtor.

Gesine, drei Meter vor meinen Augen – auch mal mehr, wenn Andrea, die das Foto auf dem Rücken trägt, sich längs des Seitenstreifens die Füße vertritt. Gesine, ein Foto auf Pappe in der schon jetzt um neun Uhr – drei Stunden vor dem eigentlichen Programmbeginn – anströmenden Masse der Ausflügler. Zwischen der Autokolonne rechts und den Fußgängern links, die mit dem Bus gekommen sind, oder in einem der Sonderzüge. Oder ihr Auto in weiser Voraussicht des Staus weiter vorn auf dem breiten Grünstreifen geparkt haben und jetzt, bepackt mit dem Inhalt ihres Kofferraums, mit Proviantkörben und Wolldecken, Campingstühlen und Kameras an uns vorbeiziehen, mit Kleinkindern an der Hand vor den Buden stehenbleiben, an denen es Süßigkeiten und Erfrischungen gibt, wo man beim Souvenirverkäufer schon einen kleinen Vorgeschmack auf die Attraktionen des Tages bekommen kann: bedruckte T-shirts, Buttons, Ansichtskarten mit Jetformationen, Aufkleber und Poster, die Kampfhubschrauber zeigen, kleine Kuriermaschinen oder die große »Galaxy« – die modernsten Kampfmaschinen aller Nato-Mitgliedsstaaten zum Mitnehmen nach Hause.

Ramstein, 7. August 1983

Das kann aber auch noch auf dem Rückweg erledigt werden, und überhaupt gilt es jetzt erst einmal, einen günstigen Platz auf dem Gelände zu ergattern. Vorbei also an Hamburgern und Coca-Cola, an den beiden Leuten mit dem Transparent »Gestern Hiroshima – morgen wir? 6. August 1945«, denen ebenso wie dem Würstchenverkäufer und den Toten eines Flugzeugabsturzes am 22. Mai desselben Jahres zu diesem Zeitpunkt noch wenig Interesse gelten kann. Warten in dieser Hektik, für den Verkäufer scheint das nichts Neues. Ab und zu heult ein Motor neben mir lauter auf, als es für ein leichtes Anfahren im stop-and-go nötig wäre.

Warten worauf? Daß Eltern die Anzahl von gelebten Jahren aus ein paar Lebensdaten und Zahlen, gemalt auf Pappe, errechnen können? Daß sie stehenbleiben? Ihre Kinder im Alter von Jan fest an die Hand nehmen und mit Picknickkörben und Frisbeescheiben irgendwohin in den nächsten Freizeitpark fahren?

Im ständig dichter werdenden Trubel am Rande erblicke ich irgendwann für ein paar Augenblicke ein Transparent: »Zeigt euren Kindern, wie schön der Krieg ist!« Manchmal sehe ich statt Luftballons auch geschickt gefaltete Papierflieger aus einem Handzettel gefertigt, die es (kostenlos) weiter vorne gibt. Ein Mädchen von sechs oder sieben Jahren zielt auf meinen Kopf, und ich muß wider Willen lachen, als das Ding knapp an mir vorbeisegelt (»Gestern Hiroshima – morgen wir?«). Der Vater in der Nähe lacht auch. Das »program« in seiner Hand mit den Ankündigungen der Flugnummern (»Doppelschraube, Rückenflug, Looping …«) möchte er lieber nicht in ein Flugobjekt verwandeln – er wird es brauchen können, wenn die Show um zwölf beginnt. Optimismus, angesichts immer noch geschlossener Wolkendecke und »Nullsicht«: steigende Erregung, die sich in dem unablässigen Rufen der Programmverkäufer auch den anderen mitteilt; »the sound of jet – the sound of freedom« als T-Shirtaufdruck auf der Brust, in Turnschuhen und Jogginganzügen, mit geschulterten Transistors und den Packen mit Hochglanzheftchen unter dem Arm sind sie entlang der aufgestauten Blechkolonne und in der Menge am Rand unermüdlich unterwegs: » A program, a program.« Die Verkaufsquote ist sicher, das Grinsen, das uns gilt, berechtigt: Viele, die Programme kaufen, wenige, die mir im Vorbeigehen aus den Lebensdaten unter ihrem Foto das Alter Katharinas abnehmen wollen. Wir bleiben wehrlos auf unserer Mahnung sitzen.

Wie naiv, von gleichgültig abgleitenden Blicken empfindlicher getroffen zu sein als von dem: »Saublöde Chaoten«, das ab und an zusammen mit pumpendem Baß oder Walk-man-Gefistel aus einem der geöffneten Wagenfenster dringt.

Wehrlos gegen das Grinsen und das ewige »a program, the complete program!«, wehrlos gegen eine lockere Handbewegung. Warum denn kann eine einfache Handbewegung, das lässige Zusammenballen der Faust über einem Stück Papier, der Anblick eines achtlos zerknüddelten Flugblatts vor meinen Füßen sich dem

Gedächtnis als jederzeit abrufbares Bild für »Schrecken« einprägen, leichter zu erinnern als die betrunkene Anmache eines Schlachtenbummlers gegen Mittag und das hämisch beipflichtende Schweigen der Umstehenden? Oder die Diskutierfreudigkeit einzelner Familienväter, die vor Kind und Kegel sich verpflichtet fühlen, das einzige Sonntagsvergnügen eines arbeitenden Menschen zu verteidigen gegen »faule Typen« – und gegen Katharina?

Wehrlos noch nach anderthalb Jahren, bemüht zu rekonstruieren vor einem Zettel, den ich bewußt harmlos überschrieben habe mit »Reaktionen der Besucher« und einem Zitat aus der Frankfurter Rundschau:

»da müßte man mit der Maschinenpistole reinhalten«

»ein Panzer nämme un driwwer fahre, dann isch die Sach erledigt«

»stecht sie alle ab«

»schlagt sie tot«

»Vergasen!«

Zeitungsnotizen, Zitate, mit denen ich zu belegen suche, was ich selbst nur von anderen hörte, die nach den Verhaftungsaktionen nach draußen kamen, mutlos und wehrlos.

Ich lese in der Kölner Rundschau vom 8. August 1983: »Wenn die amerikanischen und deutschen Sicherheitskräfte nicht energisch vorgegangen wären, hätte der Flugplatz Ramstein am Sonntag in Flammen gestanden«, und bleibe doch unbelehrbar wehrlos, wenn nach anderthalb Jahren wieder Verwunderung hochkommt, daß aus »Propaganda- und Werbematerial« Gefahr für die allgemeine Sicherheit entstanden ist. Daß da Flammen vorbereitet wurden an drei Abenden auf einem Dachboden in Detmold: aus Pappe, schwarzer Farbe und einigen vergrößerten Fotos. Mit den Fotos eines ausgebrannten Autowracks, dem Bild einer Neunzehnjährigen, den Fotos eines Ehepaares, eines elfjährigen Jungen, eines Säuglings, einer alten Frau mit den Geburtsdaten darunter und dem Kreuz bei dem Datum 22. 5. 1983 jedesmal. Nein, fünfmal, da lebte Gesine noch. Gesine ist vier Tage später gestorben.

Ramstein, 7. August 1983

Am 9. August wurde in der Report-Sendung noch einmal die Problematik der militärischen Flugwerbung aufgegriffen. Wir Eltern hatten Gelegenheit, in dieser Sendung zu sprechen. Franz Alt hat unseren Beitrag unkommentiert übernommen. Es war die letzte Report-Sendung, die er 1983 moderieren durfte.

Schweige-Allee in Augustdorf

Der Widerstand gegen aufgeblasene militärische Machtdemonstrationen ging weiter und geht weiter. Ein Jahr nach dem Frankfurter Absturz berichtete die Zeitung »Unsere Kirche« (Sonntagsblatt für Westfalen und Lippe) über eine Schweige-Allee:

Am Tag der Waffenschau in Augustdorf erinnerten Mitglieder der Arbeitsgemeinschaft Solidarische Kirche in Westfalen und Lippe vor dem Nordtor der Kaserne mit Plakaten an die Familie des Pfarrers Martin Jürges und an Gesine Wagner aus Detmold, die Pfing-

Augustdorf, 26. Mai 1984, Schweige-Allee

Augustdorf, 26. Mai 1984

sten vor einem Jahr in Frankfurt in den Flammen eines abgestürzten Starfighters verbrannt waren.

Die Inschriften warnten vor der Verharmlosung der todbringenden Systeme durch Schaueffekte und vor der Faszination durch die Wehrtechnik: »Panzer sind kein Turngerät – Kanonen kein Spielzeug« und »Werbung mit Tötungsmaschinen ist Verrat am Leben«.

Kindern, die Luftballons an der Schweige-Allee bekommen hatten, wurden diese am Kasernentor von den Feldjägern abgenommen wegen des Aufdrucks »Vertrauen wagen – Abrüsten«.

Nach der Mahnwache versammelten sich die Teilnehmer in der Militärkirche zu einem Gottesdienst, an dem auch Angehörige der Bundeswehr teilnahmen. Pfarrer Peter Wagner sprach zu einem

Abschnitt aus dem 5. Buch Mose vom Eigentumsrecht Gottes an dieser Erde. Herausgefordert durch die Demonstration und den Gottesdienst, äußerte sich die Standortführung sehr heftig in der örtlichen Presse.

Wir dokumentieren im folgenden einige offizielle Versuche, das Geschehene nicht zu verstehen. Wir fügen einige Stimmen hinzu, die ein Fingerzeig sind in die Richtung, in die wir weitergehen können: eine Ansprache, eine Erklärung, Briefausschnitte.

Briefwechsel mit dem Verteidigungsministerium

Offenbach, den 1. Juni 1983
Sehr geehrter Herr Minister Wörner,
Sie haben durch Ihren Parlamentarischen Staatssekretär, Herrn Würzbach, erklären lassen: »... den Schwerverletzten gilt unser tiefes Mitgefühl.« Es gibt zwei leichtverletzte Jugendliche und einen Piloten, der mit dem Schrecken davongekommen ist. Schwer verletzt ist allein meine Tochter Gesine Wagner. Sie liegt mit Verbrennungen dritten Grades, die 85% der Körperoberfläche bedecken, im Stadtkrankenhaus Offenbach. Nach Auskunft der Ärzte hat sie keine Aussicht zu überleben.
Ich versuche zu ergründen, was im Kontext der Erklärung Ihres Staatssekretärs die Formulierung »tiefes Mitgefühl« besagt. Was sind diese beiden Wörter wert? Woran kann ich erkennen, daß sie mehr sind als bloße leere Worthülsen? Haben sie irgendein Gewicht?
Ich finde nichts. Im Gegenteil: Ich finde nur Worte, die die Abwesenheit von Mitgefühl erkennen lassen. Ich finde eine Begründung für künftige Werbeschauen der Bundeswehr, die ethisch bodenlos ist (Schaulust der Menge); die geistig-moralisch anspruchslos ist (Werbung); die um so

dringender nach dem christlichen Fundament dieser Regierung fragen läßt (was ist »unverzichtbar«?).

Einmal vorausgesetzt, militärische Macht sei notwendig in einer Menschheit, die nicht vertrauen kann, so ist doch diese militärische Macht christlich gesprochen nie etwas Letztes, ihre Darstellung nie etwas »Unverzichtbares«. Sie gehört dem Vorletzten an. Das Handwerk des gezielten Tötens, das von ungewolltem Töten begleitet wird, wird aufhören. Es schafft nichts und ist nichtig. Es ist nichts Bleibendes. Jetzt schon im Vorletzten ist das, was bleibt: Gott die Ehre zu geben mit allem, was dies einschließt.

Wer dagegen militärische Macht zur Schau stellt, wer sich spreizt mit der Gewalt, über die er zu verfügen meint, mag dies zur Hebung des Wehrbewußtseins für nützlich halten, er handelt nach dem Urteil der Bibel als ein Tor. Der Tor aber ist für die Bibel der Gottlose. Er beteiligt sich daran, Gott die Ehre zu rauben. Was einer christlichen Regierung ansteht, ist der bescheidene, zurückgenommene Umgang mit militärischer Macht.

Ich meine, aus dem Tod der fünf Mitglieder meiner Familie, in der von der Greisin bis zum Säugling jedes Alter vertreten und den Flammen preisgegeben war, einen Anruf, eine Bitte zu hören: Merkt auf, in welche Richtung euer Weg geht! Laßt es zu, daß es heute in euerm Innern brennt, damit nicht morgen eure Kinder brennen!

Der Tod der Familie Martin Jürges war nicht tragisch. Er war nicht das Ergebnis sich immer enger zusammenziehender Verstrickung. Er war vermeidbar. Tragisch ist allenfalls eine christliche Politik zu nennen, die im Zwiespalt mit ihrer eigenen Grundlage handelt. Ihre Lage ist verzweifelt, sie mag sich wenden, wie sie will. Sie wird den inneren Widerspruch mit immer mehr Lüge, mit immer mehr Anwendung von Gewalt zuzudecken versuchen. Ich weiß, daß Mitglieder dieser Bundesregierung mehr erkennen, als sie sagen, aber was sie auch sagen, eines können sie nicht mehr sagen: Sie seien nicht gewarnt worden.

Mit freundlichem Gruß   *P. Wagner*

Bonn, den 27. 6. 1983

Sehr geehrter Herr Wagner!

Ihr Schreiben vom 01. 06. 1983 habe ich erhalten. Ich habe es mit Interesse und großer Betroffenheit gelesen.

Unmittelbar nach dem Unfall habe ich eine generelle Überprüfung der Durchführung solcher Veranstaltungen veranlaßt. Sobald mir Ergebnisse vorliegen, werde ich Sie unterrichten.

Ihrer Tochter wünsche ich von Herzen, daß sich ihr Zustand schnell zum Guten wendet und sie das Krankenhaus bald verlassen kann.

Mit freundlichen Grüßen

Ihr M. Wörner

Bundesminister der Verteidigung

Bonn, 26. Oktober 1983

Sehr geehrter Herr Pastor Wagner!

Die Ausführungen in Ihrem Brief haben mich sehr bewegt, und ich möchte Ihnen versichern, daß mein tiefes Mitgefühl, das ich damals zum Ausdruck gebracht habe, keine bloße Worthülse war, sondern aus meinem tiefsten inneren Empfinden gekommen ist.

Es fällt mir nicht leicht, angesichts des Unglücks, von dem Sie und Ihre Familie betroffen wurden, in nüchternen Worten die Ergebnisse der Untersuchungen darzulegen.

Diese Untersuchungen, die unmittelbar nach dem Unfall eingeleitet wurden, erstreckten sich nicht nur auf den fliegerischen und den zugehörigen technischen Bereich. Mit überprüft wurden die für die Durchführung von Flugveranstaltungen geltenden gesetzlichen Bestimmungen und die Einhaltung der zur Sicherheit im Luftverkehr erlassenen Vorschriften.

Es haben sich keine Anhaltspunkte für leichtfertiges oder fahrlässiges Handeln ergeben. Bei Planung und Durchführung der Flugveranstaltung in Frankfurt wurden alle vorstellbaren Vorsorge- und Sicherheitsmaßnahmen getroffen und befolgt.

Es wurden keine für diese Vorführung besonders geschaffenen Flugfiguren gezeigt oder Kunstflug durchgeführt. Das Luftfahrzeug geriet beim Fliegen einer Kurve in einen unkontrollierten Flugzustand, den der Luftfahrzeugführer nicht mehr beheben konnte. Es ist naheliegend, unter dem Eindruck des schrecklichen Geschehens und aus der Situation heraus die Ursache ausschließlich in der militärischen Flugveranstaltung zu sehen und generell deren Sinn anzuzweifeln.

Flugtage werden aber von militärischer Seite nicht zum Zweck einer Machtdemonstration durchgeführt, sondern aus dem gleichen Grunde, der auch zivile Luftfahrtunternehmen veranlaßt, solche Veranstaltungen regelmäßig durchzuführen: Information zu bieten über die eigene Tätigkeit und den jeweiligen technischen Leistungsstand. Die Gefahr eines Flugunfalles kann dabei wie auch sonst im Routineflugbetrieb weder bei militärischen noch bei zivilen Luftfahrtveranstaltungen ausgeschlossen werden.
Dieses Risiko, das teilweise in größerem Maße auch in anderen Bereichen oder bei anderen Verkehrssystemen besteht, ist bedingt durch menschliche und technische Leistungsgrenzen und leider trotz aller Sicherheitsauflagen und Anstrengungen nicht zu beseitigen.

Lediglich durch einen Verzicht, in diesem Falle auf jeglichen Luftverkehr, könnte diese Gefährdung vermieden werden. Die zuständigen zivilen und militärischen Dienststellen sind sich aber ihrer Verantwortung für die Sicherheit im Luftverkehr bewußt. Es werden daher alle Anstrengungen unternommen, die mit der Luftfahrt verbundene Gefährdung der Bevölkerung so gering wie möglich zu halten. Natürlich ist es mein Bestreben, so schrecklichen Katastrophen vorzubeugen. So habe ich verfügt, über Ballungsgebieten keine Flugvorführungen militärischer Luftfahrzeuge mehr zu gestatten.
Ich bedaure den Unfall bei dem Flugtag in Frankfurt außer-

ordentlich und versichere Sie meiner tiefsten Anteilnahme an dem Schicksal Ihrer Familie.
Mit freundlichen Grüßen
Ihr P. K. Würzbach
Der Bundesminister der Verteidigung
Parlamentarischer Staatssekretär

Detmold, den 22.1.1984
Sehr geehrter Herr Staatssekretär!
Ihre Erwägungen, meine Angehörigen hätten auch auf eine andere Weise ums Leben kommen können, gehören zu den Tröstungen, die nicht von der triftigen und hilfreichsten Art sind. Gewiß kann ich mir vorstellen, daß meine sechs Angehörigen z. B. irgendwo im Verkehr durch eigene oder fremde Unachtsamkeit den Tod hätten finden können. Genausogut kann ich mir aber auch ausmalen, wie schön und wichtig ihr Leben hätte sein können und wie viele Jahre die Kinder noch vor sich gehabt hätten.
Alles solches Reden im Eventualis steht auf schwachen Füßen. Es wird allein durch die bloße Tatsache weggewischt, die Tatsache, daß es nichts als die Flammen des in Frankfurt abgestürzten Starfighters gewesen sind, in denen sie verbrannten. Sie sind die Demonstrationstoten des 22. Mai 1983. Und den für diese Demonstration verantwortlichen Veranstalter zu vertreten, haben Sie sich zu Wort gemeldet. Sie sagen, »alle vorstellbaren Vorsorge- und Sicherheitsmaßnahmen« seien getroffen und befolgt worden. Es hätten sich »keine Anhaltspunkte für leichtfertiges oder fahrlässiges Handeln ergeben«.
Solche Sätze machen mich schaudern, wenn ich daran denke, was sonst noch in Ihrem Haus als sicher hingestellt wird. Sie verschweigen doch einfach – und meinen womöglich, ich wüßte es nicht –, daß der Starfighter ein Flugzeug ist, das an der Grenze des Risikos konstruiert ist. Er gerät im Langsamflug leicht außer Kontrolle und fällt ohne ausreichenden Schub wie ein Stein zu Boden. Das ist seit den fünfziger Jahren bekannt. Der Starfighter des kanadi-

117

schen Piloten in Frankfurt ist nicht bei einer besonderen
Flugfigur abgestürzt, wie Sie zutreffend schreiben. Es ge-
nügte der Langsamflug, ausgeführt in einer Kurvenlage,
was zusätzlichen Auftriebsverlust bedeutete. Dies ist es.
Und hierin ist Fahrlässigkeit sehr wohl zu erkennen.

Ich kann verstehen, daß Sie sich bemühen, die Reihen zu
schließen und keinen Verdacht aufkommen zu lassen.
Aber es verletzt mich, wenn Sie diesen Versuch, die Wahrheit zu verdecken, verbinden mit dem wiederholten
Anspruch, »tiefstes inneres Empfinden« und »tiefste Anteilnahme« zu verspüren. Ich habe ein solches Gefühl von
Ihnen nie verlangt, wie Sie wissen. Ich halte es für eine
Überforderung. Dennoch würde ich gerne glauben, was
Sie sagen. Doch Ihre eigenen Worte widerlegen Sie. Ich
finde nicht einmal ansatzweise eine ethische Reflexion
dessen, was Werbung mit Tötungsmaschinen bedeuten
könnte. Ich kann Ihrem Brief nicht einmal andeutungs-
weise entnehmen, ob Sie zur Kenntnis genommen haben,
daß auch meine Tochter Gesine Wochen nach meinem
Brief an Sie und genau 81 Tage nach dem Unfall ihren Verbrennungen erlegen ist. Ein Kondolenzschreiben aus Ihrem Haus hat uns jedenfalls nicht erreicht. Das Mitgefühl
blieb auffallend unkonkret.

Kurzum: Es scheint mir so zu sein, daß Sie die Ebene Ihrer
persönlichen Verantwortlichkeit noch nicht betreten haben. Ich ahne, wie schwer das ist, und würde Ihnen Hilfe-
stellung leisten, wenn ich es nur könnte.

Ihr *P. Wagner*

Bonn, den 21. Februar 1984

Sehr geehrter Herr Pastor Wagner!

Ihr Schreiben hat mich betroffen gemacht.

Bei meinem ersten Schreiben an Sie war mir bewußt, daß
Worte der Anteilnahme in ihrer Aufrichtigkeit in Zweifel gezogen werden könnten, wenn gleichzeitig zur Schuldfrage
und zu den Zusammenhängen auch sachliche Stellung be-
zogen werden mußte.

Der schreckliche Tod Ihrer Tochter Gesine hat mich erschüttert, stellte mich gleichzeitig vor die Frage, ob Sie bei dem Ausmaß der Tragödie, ob Sie in Ihrem Schmerz, Ihrer Verbitterung, eine nochmalige Äußerung meines Mitgefühls als taktvoll empfunden hätten. Ich glaubte, schweigen zu sollen, und sah, daß Sie dieses anders verstanden haben.

Die Frage persönlicher Verantwortung stellt sich täglich bei vielen politischen Entscheidungen.

Ich bitte Sie herzlich, die Fähigkeit zu ethischer Reflexion auch denen zuzugestehen, die in der Notwendigkeit politischen Handelns für das Gemeinwohl zu anderen Entscheidungen kommen als Sie.

Die Entscheidung des Gewissens ist immer eine persönliche. Ich maße mir nicht im Ansatz an, stets die Fähigkeit zum richtigen Wort im richtigen Augenblick zu haben.

Ich möchte Sie daher nur schlicht bitten, mir die Aufrichtigkeit meiner Anteilnahme und meiner Betroffenheit zu glauben.

Ihr P. K. Würzbach
Der Bundesminister der Verteidigung
– Parlamentarischer Staatssekretär –

Detmold, den 13. Mai 1984
Sehr geehrter Herr Staatssekretär!
Sie haben mir am 21. Februar geschrieben. Dafür möchte ich Ihnen danken. Inzwischen hat Sie Herr Militärdekan E. aufgesucht. Er schrieb mir freundlicherweise am 27. April von seinem Gespräch mit Ihnen. Aus seinem Bericht muß ich schließen, daß er unser Anliegen nur sehr undeutlich vorgetragen haben muß.

Ich will, obwohl es mir schwerfällt, noch einmal zu sagen versuchen, worum es mir geht, und worum nicht. Es geht mir und ging mir nicht, und zwar ganz und gar nicht, um irgendeine Äußerung von Zerknirschung von Ihrer Seite. Sollten Sie dies aus den Worten von Herrn E. herausgehört haben, so bitte ich Sie, diesen Eindruck zu korrigieren. Aus meinen Briefen haben Sie jedenfalls ein solches Ansinnen nicht herauslesen können.

Worum geht es? Vielleicht kann ich es an meiner eigenen Erfahrung verdeutlichen. Ich habe mich bis zum 22. Mai 1983 nicht für Flugschauen interessiert. Sie waren mir gleichgültig. Das war falsch. Ich hätte viel früher beginnen müssen, über solche Veranstaltungen nachzudenken. Erst als ich selbst getroffen war, wurde ich wach und begann mich zu fragen: Was geht bei solchen Waffenschauen eigentlich in den Menschen vor? Was für Menschen gehen dorthin? Man sagt: Es wollen ja alle den Frieden! Wird also durch Waffenschauen Verständnis für andere Völker geweckt, wird Nachdenklichkeit und Friedensfähigkeit gefördert oder nicht?

Mitabiturienten und Mitabiturientinnen von Gesine haben es auf sich genommen, zur Flugschau nach Ramstein zu fahren. Sie haben Fotos von Gesine, ihrer Großmutter, ihrem einjährigen Patenkind, ihres Onkels, ihrer Tante und des elfjährigen Jan vergrößert und auf Pappen geklebt. Sie haben sich mit den Plakaten schweigend auf dem Parkplatz und vor dem Eingang zum Flughafengelände aufgestellt. Sie wurden von den amerikanischen Soldaten einigermaßen respektiert. Aber wie war die Reaktion der Zuschauer? Verlegenes Wegsehen, höhnisches Grinsen, Ärger, Anspucken.

Ich denke, es ist hinreichend deutlich, daß hier ein Feld ist in Wahrnehmung der Informationspflicht der Regierung, auf dem mehr Sensibilität, mehr Gespür dafür entwickelt werden muß, was nicht mehr geht. Humanität ist noch entwicklungsfähig. Das Spielen der Kinder auf Panzern und an Waffen, das verharmlosende Rumkurven mit todbringenden Maschinen wird einmal als ähnlich unmenschlich empfunden werden wie eine öffentliche Hinrichtung. Und diese ist doch auch einmal ein bei Zuschauern beliebtes Spektakel gewesen, das Massen von Schaulustigen angelockt hat.

Christliche Politiker können hier sehr wohl vorangehen.

Sie werden nicht zuletzt daran erkannt, ob sie mit der Macht zurückhaltend, mäßigend und bescheiden umgehen können.

Ich frage Sie als einen zutiefst Betroffenen: Welchen Grad der Sensibilisierung vertreten Sie? Was bedeutet für Sie Werbung mit Tötungsmaschinen ethisch? Sie schreiben, daß man auch Sie als zu ethischer Reflexion fähig ansehen möchte. Aber was ist die bloße Fähigkeit wert, wenn sie nicht angewendet wird, wenn sie sprachlos bleibt? Sie teilen weder Inhalt noch Ergebnis Ihrer Reflexion mit.

Ich kann nicht erkennen, daß Sie sich von Ihrer Stellungnahme vor dem Bundestag – unsere Toten waren noch nicht beerdigt – fortbewegt hätten, in der Sie solche Flugschauen für unverzichtbar erklärten. Die später getroffene Entscheidung (»nicht über Ballungsgebieten«) bezieht sich, im Klartext gesprochen, nur auf das Rhein-Main-Gebiet und ist zudem noch mit der Einschränkung versehen: »Bis auf weiteres«. Ein Umdenken hat nicht stattgefunden.

Unser anderes Anliegen: Wie steht es bei Ihnen mit dem Umgang mit der Wahrheit bei persönlich doch vorhandenem Angerührtsein? Sie behaupten, im Zusammenhang mit dem Absturz des Starfighters seien »alle vorstellbaren Vorsorge- und Sicherheitsmaßnahmen« getroffen worden und befolgt worden. »Anhaltspunkte für leichtfertiges oder fahrlässiges Handelns« gäbe es nicht.

Ich schrieb Ihnen: Es habe sehr wohl leichtfertiges und fahrlässiges Handeln vorgelegen, nämlich darin, daß man eine Starfighter-Staffel im Langsamflug eingesetzt habe. Die Verantwortlichen haben das Risiko wissend und billigend in Kauf genommen.

Auch in dieser Sache sind Sie die offene Antwort desjenigen, der zur Gemeinschaft der Betroffenen gehören möchte, schuldig geblieben.

Mit freundlichem Gruß
P. Wagner

»Wie in einem Spiegel«

Ansprache von Günter Koch im Trauergottesdienst am 18. August 1983 in Heiligenkirchen

Gesine Wagner – der Name dieses 19jährigen Mädchens hat unzählige Menschen tief angerührt, seit zu Pfingsten geschah, was nicht Gottes Geist, sondern der Ungeist des Menschen wirkt, der, nur um einer Schau, einer Macht- und Leistungsdemonstration willen, sechs Menschenleben zerstörte: Gesines Großmutter Frau Jürges, die Familie ihres Onkels Martin Jürges, dabei auch ihr Patenkind, das sie noch retten wollte, und dann, nach schweren 81 Tagen, als man meinte, wieder hoffen zu können, bei der 7. Operation, auch ihr eigenes junges Leben.

Gesine, das Mädchen mit der Geige und der Gitarre, mit den offenen Augen dafür, wo man helfen muß, hat bei vielen Menschen Fragen geweckt, die nicht leichthin zu beantworten sind. »Schicksal« – sagen viele, und streichen damit die Verantwortung der Menschen. »Wie kann Gott das zulassen?« sagen andere und werden irre an dem Gott, den sie so gut zu kennen meinten. Wieder andere fühlen sich bestätigt im Haß gegen die Kriegsmaschinerie, die schon in Friedenszeiten wie ein Götze Opfer verschlingt.

Die Eltern Wagner, die sicher am meisten mit Gesine verloren haben, wählten für diese Stunde ein Pauluswort, das uns auf ganz andere Gedanken bringt, einen Vers aus dem »Hohenlied der Liebe«, 1. Korinther 13,12: »Wir sehen jetzt nur wie mittels eines Spiegels – rätselhafte Umrisse, dann aber von Angesicht zu Angesicht. Jetzt ist mein Erkennen Stückwerk, dann aber werde ich völlig erkennen, wie ich auch völlig erkannt worden bin« (nach der Züricher Übersetzung).

»Ich bin erkannt.« Paulus meint: von Gott. Ich bin nicht ein unbekanntes und unbeachtetes Stäublein vor Gott. Er kennt und liebt mich. Wir Christen glauben nicht, daß unser Leben festgelegt sei durch ein unpersönliches Schicksal. Wir glauben auch nicht an einen berechenbaren Gott, dem wir vielleicht auch Fehler nachweisen könnten. Wir glauben an einen, der wie ein Vater auf uns sieht.

Gesine durfte in den schweren Tagen erleben, daß die Eltern sie nicht allein ließen. Sie wußte die Augen von Mutter und Vater auf sich gerichtet wie damals, als sie klein war und die Eltern abends am Bett mit ihr beteten. So durfte sie jetzt auch wissen: Ein größerer, ewiger Vater kennt mich und sieht auch mich. Er hat in Christus treu für mich durchgehalten. Auf seinen Namen bin ich getauft. Sein Eigentum, sein Kind bin ich, und er wird mich nie hergeben, gleich, was mit mir geschieht.

Als einer, der von Gott erkannt und anerkannt ist, erkenne ich mich selbst und die Welt, die er mir gibt. »Es ist so schön«, schreibt Gesine einmal aus dem Krankenhaus, »jetzt auf einmal zu erkennen, wie viele Freunde ich habe. Ich bin immer so glücklich über eure Briefe, daß ich es gar nicht ausdrücken kann.« Und statt einen Rundbrief diktieren zu müssen, weil die Hände dick verbunden sind, würde sie lieber jedem etwas Persönliches schreiben und, weil sie über die Zukunftspläne Bescheid weiß, weiter daran teilnehmen und möglichst oft etwas von ihnen hören.

In ihrer ehrlichen Art erkannte und nannte sie auch offen, was man gern verbirgt. Warum sagt man dem anderen nicht offen, was man denkt? Was verschwiegen wird, kann leicht Menschen trennen, Freunde, auch Eheleute. »Seid ehrlich und bleibt beieinander!« – dies ihr Anliegen sollten wir beherzigen.

Vielleicht hat sie durch das Flammenmeer am Pfingstsonntag auch tiefer in die Wirklichkeit geschaut, die uns bedroht. Sie hatte von da an viele Angstträume. In einem Brief beschreibt sie einen solchen Traum: Atomkatastrophe – sie flüchtet in einen Bunker. Als ihr klar wird, daß es »nur« ein Traum ist, »da bekomme ich um so mehr Angst um meine Familie und Euch, und ich möchte, daß wir uns wirklich alle bewußt sind, wie schnell sich in unserem Leben alles ändern kann.« Sie schließt den Brief: »Bitte, nehmt mich ernst in meiner Angst!«

Tun wir das? Wir hören davon, daß die Kriegsmaschinerie immer weiter ausgebaut wird. »Sie wissen nicht, was sie tun« – jedenfalls erkennen die meisten nicht, wie die Gefahr für die Menschen wächst. Es ist ja auch nicht angenehm, ihr ins Auge zu sehen. Man fordert mehr Gottvertrauen. »Gott wird das Schlimmste verhüten.« Als ob Gott Kriege machte und Vernichtungsmittel baute!

Als Christen sollten wir doch einsehen, daß Gott, der das Leben schafft und liebt, ein solches Sterben *nicht* will. Gott gibt und will Leben, und wenn wir es bedrohen und unnötig aufs Spiel setzen, verspielen wir fremdes Eigentum, und wir sollten wenigstens nicht so unverschämt sein, Gott selber für unser Morden haftbar zu machen. Wir alle sind schuld am Sterben dieser sechs Menschen und am Sterben, das noch folgen wird. Unser Trachten geht ständig dahin, uns selbst zu bereichern und zu sichern. Diese gottlose Haltung, die nicht mehr dankbar annimmt, was Gott gibt, macht uns zu Widersachern Gottes und zu Teufeln füreinander, die sich wahrscheinlich noch für Engel halten: »Wir wollen ja gar nichts Böses, nur Gutes.« Warum wollen wir nicht wissen, was wir tun? Warum sehen wir nicht besser hin und hören sowenig aufeinander und schlagen die Warnungen in den Wind?

Das könnte mißverstanden werden, als wüßten wir als Christen, Pastoren, Kirche, alles besser. Nein, Paulus sagt: »Ich sehe noch unscharf, solange ich Gott nicht unmittelbar schaue. Es ist mir sein Bild (und damit die Deutung meines Lebens) nur indirekt zugänglich, wie vermittels eines alten, trüben Spiegels, der mich nur Umrisse erkennen läßt. Alle, die sich ernsthaft um Gott und seine Welt mühen, gerade auch Schüler und Religionslehrer, wissen, daß sie um Klärung ringen müssen. Dazu brauchen wir Gespräche, Bücher, Gebete. Wer sich einbildet, ihm sei alles klar, wird kaum ein hilfreicher Gesprächspartner sein. Paulus spricht vom »Stückwerk« seiner Erkenntnis – ein Mann, dessen tiefen theologischen Gedanken wir heute noch Entscheidendes verdanken. »Ich sehe nur Teile, mein Blick ist begrenzt: Gott ist mir zu groß. Ich stehe noch am Anfang, aber einst werde ich alles durch und durch erkennen.«

In den letzten 81 Tagen war Gesines Welt klein geworden, so scheint es, reduziert auf die Wände ihres Krankenzimmers, auf die Anwesenheit der Eltern und auf ein Minimum dessen, was sonst ein junger Mensch zu tun vermag. Und doch deuten ihre Briefe an, daß ihr in dieser Enge der Blick weiter und klarer wurde für das Entscheidende. Fragte man sie, was sie jetzt als wichtig sah, dann sagte sie: »Martins Text.« Sie meinte den Text der Ansprache bei der Trauerfeier für Familie Jürges in Frankfurt, den Text vom Propheten Elia, der, am Ende seiner Kraft, sich hinwirft unter einen Wüstenstrauch und aufgeben, sterben will: »Es ist genug, Herr!« Aber Gott hat noch etwas mit ihm vor. Er weckt ihn auf: »Steh auf, iß und trink; denn du hast noch einen weiten Weg vor dir!«

Wenn wir einsehen, wie schwach und unvollkommen wir sind, können wir leicht resignieren. Wer hätte es Gesine verübelt, wenn sie aufgegeben hätte, aber sie fand das Ja zum Leben, und deshalb sollte niemand von uns sagen: »Ich kann ja doch nichts machen; die da oben tun und entscheiden alles.« Und sich durch den Tod der sechs darin bestärkt fühlen.

Nein, das wäre nicht im Sinn der Verstorbenen. Gesine war immer treibende Kraft, wo andere unentschlossen waren. Sie konnte damit vielen unbequem werden. Ich wollte, ihr Name, ihr Leiden und Sterben würden uns alle aus der Zuschauerhaltung reißen und antreiben zu tun, was nach Gottes Willen getan werden muß. Gott hat noch einen »weiten Weg« mit uns vor.

Nun möchte ich nicht in dem Sinne mißverstanden werden: »Wir müssen's und werden's selber schaffen.« Martin Luther King bildete sich nicht ein, es selbst zu schaffen, aber er betete mit seinen Leuten zu Gott und träumte von einer gerechten Welt. Und Jesaja träumte vom Friedensreich Gottes: »Solches wird tun der Eifer (nicht der Menschen, sondern) des Herrn Zebaoth.« Was *wir* erkennen und tun, bleibt Stückwerk, und aller gute Wille und aller Fanatismus wird das Vollkommene nicht schaffen. Erst recht freilich nicht die faule Ergebenheit mancher sogenannter Christen, die sich auf Gottes Willen berufen und an der Not der Welt vorbeigehen mit der inneren Genugtuung, dies sei die selbstverschuldete Folge der Sünde. Ein Kind wird seinem Vater bei der Arbeit gern helfen wollen; weil es nichts davon versteht, wird nicht viel dabei herauskommen, der Vater wird's schon selbst schaffen müssen. Aber das Kind darf mitmachen, darüber wird es froh und stolz sein. So dürfen wir ein wenig mittun; aber *hoffen* können wir allein auf Gott, und wir müssen ihn um Vollendung seines Werkes bitten.

»Dann werde ich völlig erkennen.« Einmal wird – das glauben wir, weil Gott den gekreuzigten Jesus auferweckt hat – das Leben den Sieg behalten über den Tod. Dann wird die Verheißung endgültig

125

wahr werden: Selig sind die Sanftmütigen, die Gewaltlosen, die Elenden und Schwachen; denn Gott wird ihnen alles Land geben. Dann werden alle Angstträume vorbei sein, auch alle Ungerechtigkeit und alle Traurigkeit, und wir werden die Augen aufschlagen und Ihn sehen. Gott wird uns nicht mehr undeutlich und fern sein; nichts wird mehr zwischen ihm und uns stehen. Alles, was noch dunkel und rätselhaft ist, wird klar und deutlich sein und das Bedrohliche verschwinden.

Weil wir auf diese Zukunft durch Christus hoffen, laßt uns nicht müde werden. Laßt uns das Lied von der Liebe, das Paulus anstimmte, weitersingen und Haß und Angst hinwegsingen und so Frieden schaffen, weil er es tut, der da spricht: »Siehe, ich mache alles neu.«

Herr, nun brauchen wir alle deine Hilfe.
Mache unseren schwachen Glauben stark und still,
auf dich gegründet, daß er durchhält auch in schweren Stunden.
Mache unsre Augen frei von der Blindheit der Vorurteile,
der Selbstsicherheit und der Gleichgültigkeit,
und laß uns erkennen, was wichtig ist und wo wir gebraucht werden.
Wecke uns aus der Resignation, dir zur Verfügung zu stehen
und deinen Willen zu tun, wenn wir ihn auch nur stückweise erkennen.
Gib deinen Frieden in unsere Herzen,
der höher ist als unsere Vernunft
und weiter reicht als unsere Sicherheiten und Ängste.
Und gib uns Hoffnung darauf,
daß du dein Ziel mit uns erreichen wirst
und daß wir alle dabei sein dürfen. Amen.

»Du bist ein Zeichen des Friedens«

Dies stand in einem Brief, der von der 6. Vollversammlung des Weltrats der Kirchen im August 1983 aus Vancouver kam, unterzeichnet von Stewards aus Canada, DDR, Malaysia, N. Ireland, USA, Antigua, Iceland, S. Africa, Kenya, BRD, Brazil, Suisse, Nederland, Nigeria, India, United Kingdom, Fiji Islands, Sri Lanka, France, South Korea, Argentina, Nicaragua, Italy, Western Samoa.

»Gesine Wagner ist ein Opfer des alltäglichen Militarismus geworden, des Militarismus, mit dem wir scheinbar selbstverständlich leben. Ihre Erwähnung hier an dieser Stelle soll dazu helfen, daß sie in unserer Erinnerung bleibt. Ihr Tod – unnütz, überflüssig, durch nichts zu rechtfertigen – gehört zu dem Dunkel, in dem das Licht angezündet worden ist. Damit das Dunkel überwunden werde. Manchmal ist es schwer, die Hoffnung aufrechtzuerhalten. Aber nichts anderes hat die Botschaft vom Frieden auf Erden und von der freimachenden Kraft des Evangeliums zum Inhalt.«
Volkmar Deile
(in: »Zeichen«, Nr. 4/1983, S. 2, Mitteilungen der Aktion Sühnezeichen/Friedensdienste ASF)

Auszüge aus Briefen
»Gott nahm sie zu sich, nachdem sie uns allen, die wir von dem Geschehen in Frankfurt erschüttert waren, eine ernste Predigt gehalten hat.«
Heinrich Diestelmeier
15.8.1983

»Ich will auch einfach nicht annehmen, daß dieses so ganz und gar positive Kind, das ich immer noch vor mir sehe, durch solch einen Unsinn, ein Spektakel, ums Leben gekommen sein soll. Ich fühle mich ohnmächtig und reagiere aggressiv, wenn ich in diesen Tagen in den Nachrichten von Aktionen gegen Pfarrer höre, die sich

öffentlich gegen Aufrüstung aussprechen. Meine Traurigkeit mischt sich mit Zorn und Angst.«
Ilona Albrecht, Gesines Grundschullehrerin
16. 8. 1983

»Du erlebst Krieg mitten im sogenannten Frieden. ... Wir wünschen uns, weiter mit Euch zusammen für wahren, wirklichen Frieden einzutreten.«
Wolfgang und Micheline Müller
16. 8. 1983

»Manche mögen sich auch sagen, daß, was Ihrer Familie geschah, der ganzen Menschenwelt begegnen wird, wenn die Regierenden nicht noch rechtzeitig umkehren.«
Karl Schreck
16. 8. 1983

»Ich versuche mit Euch, das Klagen und Danken für die Toten umzusetzen in Arbeit und Kampf für die Lebenden.«
Rudolf Dohrmann
5. 7. 1983

»Und sie ist jetzt erst recht ein Ruf zum Frieden.«
Dieter Trautwein
17. 8. 1983

»Das unaussprechliche Leiden hat sein Ende gefunden, nicht aber der Auftrag zur Botschaft, wie ihn dieser Tod unausweichlich gemacht hat. Gesine gehört nicht mehr Ihnen allein.«
Käthe Aettner
18. 8. 1983